ちょいプラ！
シナリオ創作術

人気ドラマが教えてくれる
「面白い！」のツボ

浅田直亮 *asada naosuke*

言視舎

まえがき――「ちょいプラ」技術で、あなたの創作を面白くします

自分の書いた創作、とりわけシナリオの、どこかダメなところはないかな～と探して、そこを直そうとしていませんか？

それでは面白い作品にはなりません。

欠点の少ない作品にはなるでしょう。でも、欠点の少ない作品が面白い作品かというと、そうではありません。ダメなところを直していっても、確かに欠点は少ないし、よくまとまっているかもしれないけど、可もなく不可もなく、何だか物足りない、そこそこな作品にしかならないのです。

シナリオを書いている人や、これから書こうとしている人は真面目な方が多いので、どうしても、このパターンに陥りがちです。書いても書いても面白くならない。そこそこにはなる、でも、そこそこにしかならない。どこが悪いのか、さっぱりわからない……。

そうなる前に、いや、すでにこのパターンに陥っている人もいるでしょう、**まずはダメなと**

ころに目を向けないようにしてください。

じゃあ、シナリオを面白くするには？

何を、どうすれば面白くなるのか、ちょっとしたコツがあるのですが、それをプラスしていくのです。

この本では、**何を、どうすれば面白くなるのか、できるだけ具体的に説明**しています。それを、あなたのシナリオにプラスしてください。

いきなり全部、プラスするのは難しいので、一つ一つでいいんです。一つでも二つでもプラスできれば面白くなっていく手応えを感じるでしょう。三つでも四つでもプラスできれば確実にシナリオが面白くなって、書くのがより楽しくなります。五つでも六つでもプラスできれば想像以上に面白くなっているのに驚くでしょう。

ちょっとずつ、ちょっとずつプラスしていって、**より面白く、より面白くしていく**のです。スモールステップで、でも確実に一歩一歩、面白いシナリオを書けるようになっていってください。

これが本当にシナリオを面白くする、**ちょいプラ！　シナリオ創作術**です。シナリオはもちろんほかの創作にも応用可能です。

最初に**キャラクター**を取り上げています。キャラクターが最も面白くする効果が高いからです。変わってくるのが**セリフ**です。なので、セリフに関係のないワザの解説の項目でも、キャラクターならではのセリフを取り上げています。よくある格言のような名セリフとは違いますが、それぞれのキャラクターならではのセリフも味わってください。

ただし、最初から順番にプラスしていく必要はありません。適当に、つまみ食いのように読んでもらって、**これならできそうだなと思うワザからプラス**していけばＯＫです。

また、これから観るドラマや映画でも、ここで取り上げたワザが使われているのに気づくようになります。そうなると、ワザの使い方が明確になり広がるので、さらに面白いシナリオを書けるようになります。

ちょいプラ！　ぜひ、お試しください。

ちょいプラ!　シナリオ創作術　目次

まえがき　「ちょいプラ」技術で、あなたの創作を面白くします　3

Ⅰ　キャラクターを際立たせるセリフをプラス　11

ちょいプラの技術❶この主人公ならではのセリフをプラス　12
『義母と娘のブルース』

ちょいプラの技術❷「セリフは嘘つき」をプラス　18
『おっさんずラブ』

ちょいプラの技術❸主人公の「共通性」をプラス　24
『きのう何食べた?』

ちょいプラの技術❹ありきたりでない職業設定をプラス　30
『ツバキ文具店～鎌倉代書屋物語～』

ちょいプラの技術❺主人公にしかできないことをプラス　36
『僕らは奇跡でできている』

ちょいプラの技術❻性格をイメージしやすい職業をプラス　42
『危険なビーナス』

ちょいプラの技術❼「ラウンドキャラクター」をプラス　49
『イノセント・デイズ』
ちょいプラの技術❽行きつけの店や場所をプラス　55
『姉ちゃんの恋人』
ちょいプラの技術❾本音をぶつけ合える場所をプラス　61
『にじいろカルテ』
ちょいプラの技術❿本音あふれる方言をプラス　67
『最愛』
ちょいプラの技術⓫表と裏のギャップをプラス　73
『モコミ～彼女ちょっとヘンだけど～』
ちょいプラの技術⓬性格にイメージぴったりな名前をプラス　79
『和田家の男たち』

Ⅱ　主人公を困らせるキャラクターをプラス　87

ちょいプラの技術⓭主人公を困らせる「困ったちゃん」をプラス　88
『アンナチュラル』

ちょいプラの技術⑭悪役をつくるには目的のためには手段を選ばないキャラをプラス　94
『今日から俺は!!』
ちょいプラの技術⑮個性あふれる脇役をプラス　100
『重版出来！』
ちょいプラの技術⑯いい人だけど「困ったちゃん」になれるをプラス　107
『これは経費で落ちません！』
ちょいプラの技術⑰脇役の個性あふれるセリフをプラス　115
『地味にスゴイ！』
ちょいプラの技術⑱セミラウンドキャラクターを描き分けるをプラス　122
『私の家政夫ナギサさん』
ちょいプラの技術⑲勝てそうにない相手と戦うをプラス　129
『ＭＩＵ４０４《ミュウヨンマルヨン》』
ちょいプラの技術⑳もっと困らせよう、もっともっと困らせられないかをプラス　136
『天国と地獄～サイコな２人～』

Ⅲ　面白いシーンを生む「プラスのからくり」　143

ちょいプラの技術㉑「秘密性のカセ」をプラス　144
『カルテット』
ちょいプラの技術㉒カットバックをプラス　151
『カルテット』
ちょいプラの技術㉓話をまとめようとしないをプラス　158
『僕のヤバイ妻』
ちょいプラの技術㉔小道具をプラス　165
『凪のお暇』
ちょいプラの技術㉕スマホならではの使い方をプラス　172
『俺の家の話』
ちょいプラの技術㉖シーン尻をト書きで締めるをプラス　179
『この世界の片隅に』
ちょいプラの技術㉗対立する気持ちの間で揺れ動く「葛藤」をプラス　185
『グランメゾン東京』

ちょいプラの技術㉘どっちだ？ どっちだ？ のシーンをプラス 192
『テセウスの船』
ちょいプラの技術㉙今まで観たことがないディテールをプラス 199
『大豆田とわ子と三人の元夫』
ちょいプラの技術㉚「あるある」で身近な日常をプラス 205
『監察医 朝顔』
ちょいプラの技術㉛前例のないギクッとするシーンをプラス 211
『しずかちゃんとパパ』
ちょいプラの技術㉜キャラクターと感情を伝える「リトマス法」をプラス 218
『イチケイのカラス』

創作のお悩み相談1／48 2／86 3／114 4／178 5／198

I

キャラクターを際立たせるセリフをプラス

『義母と娘のブルース』
「私の娘はべらぼうに可愛いのです」

▼「亜希子」しか言わないセリフとリアクション

「杯中の蛇を有るを見る」が綾瀬はるかさん演じる岩木（のちに宮本）亜希子の最初のセリフです。しかも、自転車の練習をする小学3年生の女の子・みゆきに言うのです。

さらに、みゆきの父親・宮本良一に「あれ？　3時じゃありませんでしたっけ？」と言われ「自宅にお伺いするのなら周辺環境を確認しておこうと早めに参りました」「山林、険阻、沮沢の形を知らざる者は軍をやること能わず。孫子です」「よろしければ覚えておいてください」と90度のお辞儀をします。

さらにさらに、宮本に「みゆきの新しいママになる人だ」と紹介されると、みゆきに頭を下げて両手で名刺を差し出し「初めまして。私、このような者でございます。家事、子育て、生活豆知識、さまざまスキル不足によるご迷惑をおかけすることもあるかと存じます。しかしながら鋭意、善処していく心づもりにございますゆえ何卒、末永いおつきあいを願えれば幸甚です」と言うのです。

さらにさらにさらに、みゆきに拒絶されると「初手の5分で心をつかめなければ、そのプレゼンは失敗です」「一度引き上げアプローチを立て直します」と名刺と封筒を置いて立ち去ります。名刺には振り仮名がふってあり、封筒の中身は履歴書です。

どのセリフも亜希子しか言わないセリフです。どのリアクションも亜希子しかやらないリアクションです。登場人物、特に主人公の個性が際立つと観客や視聴者は次はどんなことを言うんだろう？　どんなことをするんだろう？　とグイグイ引きこまれていきます。

しかし、ただ突飛なセリフを言わせたり、突飛なリアクションをやらせても、観客や視聴者は「なんで、こんなことを言ったりやったりするんだ？」と戸惑い、これ以上、混乱したくないと拒否反応を起こしかねません。

ポイントはキャラクターです。他の誰も言わないし、やらないけど、**このキャラクターなら言ったりやったりするかもと思わせること**です。

▼一言でいえるキャラクターを考える

キャラクターを考えるときに注意してほしいことがあります。あれこれ考えると、かえってボヤけてしまうのです。たとえば、気が小さくて、ダジャレばっかり言ってて、子ども好きで、実は運動音痴で、特技は暗算で、鉄道マニアで、ラーメンおたくで……いかがですか？　バラバラで、よくわかりません。よく履歴を考えろと言われますが同様です。小学校3年生で両親が離婚し、中学では剣道に熱中し、高校は県内一の進学校に行き、高校2年生で片想いしたけど告白できず、東大目指したけど失敗して……では、むしろキャラクターがわからなくなってしまいます。

まずは一言で、どんな人か考えてみてください。性格がおすすめです。気が弱い人なら気が弱い人。一言で考えるとキャラクターがはっきりくっきりします。こんな時、どんなことを言うかな？　どんなことをするかなというのも浮かびやすくなります。

では亜希子は一言で、どんな人でしょう？　キャリアウーマン？　確かに33歳で大手金属会社の部長であり、各話の冒頭には毎回「私の義母はキャリアウーマンだった」というみゆきのナレーションが入ります。でも、キャリアウーマンだけでは最初のシーンのようなセリフやリアクションは、なかなか浮かばないでしょう。

第2話に、こんなエピソードがあります。

接待で朝帰りの亜希子は、みゆきに「マジでママになる気あるんですか？」「そんなんで家事とかする時間ないですよね」と言われたことから、創立記念日で学校が休みの日、会社を休んで一緒にアニメを観たり、ショッピングモールにランチを食べに行ったりします。

そして、晩ご飯はハンバーグを作ることになり、スーパーでハンバーグの材料当てゲームを始めます。肉は、みゆきが合挽き、亜希子が100％ビーフを選び、良一に電話で「宮本家のハンバーグは合挽きか牛１００％か、どちらでしょうか？」と尋ねると合挽きが正解です。卵入れる？　ニンニクは入る？　デミグラスソースは使う？　結局、みゆきが全問正解します。

その時です。みゆきが「やったー！　勝ったー！」と満面の笑顔とガッツポーズをして全身で喜びを爆発させます。

その笑顔に亜希子は心打たれます。動揺して、レジで、お金と間違えて財布の中にあったレシートを渡してしまいます。

その夜、亜希子は仕事を辞め専業主婦になると良一に告げ「今日という日がなければ何とか両立する道を探ったと思います。今日一日で後々、私は仕事を辞めることを悔やんだりはしないだろうと、そう確信したんです」「みゆきちゃんは私の奇跡なのかもしれません」と言います。

翌日、退職願を出し、社長に「年棒を上げてもいいよ。君なら」と引き止められると「では十億ほどでいかがでしょうか？」と答えます。「私の娘はべらぼうに可愛いのです。その笑顔には少なく見積もっても一千万の価値があります。私が年に百回、彼女を笑わせれば十億になります。それを棒にふれと仰るなら十億でお願いします」と。

仕事で得られたやりがいや達成感とは別の価値観を見出すや、脇目を振らず一直線に突き進もうとするのです。

亜希子は一直線な人と言えるでしょう。

▼「世間じゃ愛っていうんだよ」

ママ友の井戸端会議で、夜の営みを夜間のサイドビジネスと勘違いするのも、みゆきにキャラクター弁当を頼まれたのに間違えて株価のチャートを海苔で描いた弁当を作ってしまうのも、これまで仕事一直線だったからです。

PTAママと対立し一人で運動会を切り盛りしなければならなくなり「私のママなら、私が嫌われるようなことしないでよ」とみゆきに言われても「先生、子どもがこんな発想になって良いのでしょうか。子どもは親が嫌われるようなことをしたら自分も嫌われると思っている。親は子どもが嫌われるのを怖れて言葉を飲みこみ陰口で憂さを晴らす。その背中を見て育った子どもは思うでしょう、長いものには巻かれればいい、強い奴には逆らうな、本当のことは陰で言うのが正しいんだ、だって大好きなお父さんとお母さんがそうやっていたんだから。私事で恐縮ですが、私は大事な一人娘に、そんな背中は見せたくはありません」と毅然とするのも、良一の死を乗り越え高校生になったみゆきに働く姿を見せようとベーカリー麦田を復活させようとするのも、みゆき一直線だからです。

最終話、亜希子はみゆきに「私が、あなたを育てた理由は単なる私のエゴイズムです」と言います。「私は二十四時間、仕事のことしか考えない人間になっていました。仕事は楽しかったです」「でも、そんな風に過ごすうちに、いつの間にか心にポッカリと穴があいていたのです」「私は心の穴を埋める存在が欲しくて、だから良一さんの提案に乗り、あなたと出会いました」「良一さんに心配をかけまいと我慢しているあなたを見て、思ったんです。この子は私なんだって。この子を安心させてやりたいと思いました。思いきりわがままを言える場所を与えてやりたい。私が欲しかったものを全部、この子にあげたい。そのうちに、あなたが笑えば私まで笑っているような気になりました。あなたが傷つけられると自分が傷つけられたかのような怒りを覚えました。あなたが誉められると、まるで自分が誉められたかのように舞い上がり、私は、あなたと自分を混同した状態に至りました。要するに、あなたを育てると口では言いながら私は、その実、満たされなかった自分を憐れみ育て直していたんです。あなたは私に利用されただけ。私は、そんな女です。だから恩に着る必要など何一つないんです」

そんな亜希子にみゆきが言います。「お母さん、バカなんじゃないの？　私が笑ってたら自分が笑った気になるってさ、私が傷つけられたら自分のことみたいに怒るってさ、自分が欲しかったもの全部あげたいってさ、そういうの、そういうのね、世間じゃ愛っていうんだよ」

あなたのシナリオにも、登場人物、特に主人公の個性際立つリアクションやセリフを描いてみてください。

※『義母と娘のブルース』２０１８年７月期のＴＢＳ火曜ドラマ　原作：桜沢鈴　脚本：森下佳子　キャスト：綾瀬はるか、竹野内豊、佐藤健、上白石萌歌ほか

『おっさんずラブ』
「俺は春田さんのことなんか好きじゃない」

牧凌太（林遣都）は、いきなり浴室に飛びこんできて、シャワーを浴びていた春田創一（田中圭）の唇に激しくキスします。

上司である黒澤武蔵（吉田鋼太郎）に「はるたんが好きだ！」と告白されたばかりで困惑していた春田は、翌朝、いつも通り何事もなかったかのような牧の様子に、昨日のキスは何だったのかとますます困惑します。

そもそも母親に家出されて実家で一人暮らしをしていた春田が、本社から同じ営業所に配属されてきてウィークリーマンションに住んでいた牧を、部屋は空いているから実家でルームシェアしないかと誘ったのであり、男同士、気を使わなくていい同居人のはずだったのです。

そんな春田に、牧は帰宅すると「春田さん、冗談ですよ」「昨日のあれ、冗談ですよ。春田さん、本気だと思ってません？」と言います。「いや、あそこはオイって突っこんでほしかったんですよ、オイって」「あるじゃないですか、ほら男子校のノリみたいなやつ」「ギャグですよ、ギャグ」と言いながらホッとした春田と一緒に大げさに笑ってみせますが、一人になると切ない表情になるのです。

このような**本心とは裏腹なセリフを言わせるのを、「セリフは嘘つき」**と言います。

「セリフは嘘つき」を使うと、かえって本当の気持ちが強く伝わってきて、観客や視聴者を感情移入させることができます。感情移入すればするほど観客や視聴者は面白いと感じてくれます。

▼本心はしっかり伝えておく

「セリフは嘘つき」を使うときに最も気をつけなければならないのは、**嘘のセリフを言う人物の本心をしっかり伝えておくこと**です。でなければ嘘のセリフを言っていると気づかず真に受けられてしまうかもしれません。さっきの牧のセリフでいうと、あのキスは男子校のノリの冗談でやったギャグだったのかと思われてしまっては、元も子もないわけです。

牧が春田にいきなりキスするのは第一話のラストなのですが、おそらく観ていたほとんどの視聴者にとって予想外の衝撃だったはずです。第一話で描かれていたのは春田が黒澤部長に好意を寄せられ右往左往するラブコメディーで、ラストに向かって春田と黒澤部長の関係に牧が気づいていくことは描かれていますが、まさか、それによって春田を想う牧の気持ちが燃え上がっているとは想像できませんでした。

牧の本当の気持ちがわかるのは、「セリフは嘘つき」のシーンの直前です。

オフィスに一人残っていた牧は、忘れ物を取りに戻ってきた先輩女性社員に「好きになっちゃいけない人を好きになってしまったっていうか」「最初から可能性のない恋ってあるじゃないですか」「なのに止められない自分が嫌になるっていうか」と話すのです。

これで牧の本心が伝わるのですが、それにしても後ろ向きというかネガティブなセリフです。

▼黒澤部長と対照的なネガティブな牧

イケメンで、エリートで、料理や家事も万能で、ファッションセンスも光ってて、と非の打ち所がないような牧ですが、その根っこはネガティブなのかもしれません。自分なんてダメだ、もっと努力しないと、と自分を戒めてきた結果だと考えられます。

それは黒澤部長とは対照的です。春田の悪いところを十個言い合うバトルで黒澤部長が「可愛すぎる、存在が罪、ピュア」と言うのに対して、牧は「優柔不断、朝不機嫌、服脱ぎっぱなし、好き嫌い多い、靴そろえない、皿洗いしない、ちょっとそれ一口ちょうだいと言う、改札で引っかかる、方向音痴、うつぶせで寝る」と挙げていきます。

牧は自分にも厳しいが他人にも厳しすぎる性格なのでしょう。

春田の幼馴染みである荒井ちず（内田理央）が、不動産トラブルで住むところがなくなり春田家に転がりこんできて、春田とちずの関係が急接近した時も、牧は春田家を出て行こうとします。「春田さんはちずさんと幸せになってください」と。

これも本心とは裏腹な行動であり「セリフは嘘つき」です。

それを春田が引き止めたことから「じゃあ、俺と付き合ってください」「はい」となって二人は付き合い始めます。

ある日、牧は春田を買い物に誘い「何か買いたいものあるの?」と訊く春田に「春田さんのですよ。くっそダサいじゃないですか、私服」「いや俺、彼氏が服ダサいとか、ちょっと耐えられないんで」と言います。牧の自分にも厳しいが他人にも厳しすぎる性格ならではのセリフです。

風邪をひいて会社を休んだ牧が夕食の買い物をしていて、ちずと会います。「晩ごはん作らないといけないんで」と言う牧に、「今日ぐらい春田に作らせなよ」「完璧だね、牧くんって」とちずが言います。でも牧は「買いかぶりすぎですよ。俺なんて欠陥だらけですから」と言うのです。謙遜というより牧のキャラクターならではのセリフでしょう。

そのあと、ちずが春田に告白してもいいかと聞いてきます。春田と牧が付き合っているのは知っている、自分がすっきりしたいだけで、それ以上何かを望んだりすることはないから、と。

▼見せ場に「セリフは嘘つき」

第6話のラストでも「セリフは嘘つき」のシーンがあります。

牧と春田が牧の実家へ行った帰り道、ちずから電話があり春田はちずの兄がやっている居酒屋へ行くことになります。牧も誘われますが、病み上がりだからと断り、春田を一人で行かせます。

一人で家に帰った牧は、ハンコを取りに戻った春田の母親と出会います。母親は「本当にこのままだと結婚できないと思わない？」「私だって、いつまで元気でいられるかわからないし、孫の顔だって見たいじゃない？」と言い、さらに「早くちずちゃんとくっついてくれたらいいのに」と言い、帰り際に「あなたがいたら安心だわ。ずっと創一の友だちでいてね」と牧の手を握ります。母親が忘れていったスカーフを届けようと家から駆け出した牧は、ちずが春田に告白しているところを目撃してしまいます。

「はい、お終い。鈍感ボーイはさっさと愛の巣に帰って。牧くん待ってるよ。じゃあね」と立ち去ろうとするちずの手を取って、春田が引き止めます。振り向いたちずは泣いています。「違う、花粉症だから」と言うちずを春田は思わず抱きしめます。

そんな二人を牧は静かに見ています。

春田が家に帰ると牧は洗濯物を畳んでいます。「春田さん。色物と一緒に入れたら色がついちゃうんで」と薄ピンクのまだらになった白Tシャツを掲げます。「風呂も上がったら換気扇回さないとカビるって、いい加減、覚えてください」「あと生ゴミは火曜日なんで」そう言うと牧は黙ります。そして「まあ、いいや、もう」と。

春田が「なんで怒ってんの？」「なんだよ、言ってくんなきゃわかんねえよ」と逆ギレすると、牧は「結局、幸せじゃないんですよ、俺」「春田さんと一緒にいても苦しいことばっかりです。ずっと苦しいです」と言います。

そして「え？ どうした？ どうした、牧？ え？」と近寄ってくる春田に「別れましょう」と涙をぬぐいながら切り出します。「え？ いやいや別れるって何だよ」「もう、俺、春田さんのこと好きじゃないです」と。

「何だよ急に。訳わかんねえよ。じゃあさ、俺さ、これから家事も手伝うしさ、いつか牧のお父さんにも認めてもらえるように努力するから」と春田も泣きながら言いますが、牧は「忘れてください、俺のことなんか。俺のことは忘れてください」と首を横に振ります。「訳わかんねえよ、なあ」と泣きながら摑みかかる春田を牧は突き飛ばします。「俺は、春田さんのことなんか好きじゃない」そう言って牧も春田も涙を流します。

このように「セリフは嘘つき」を使うと、見せ場のシーンを作れるようにもなります。『おっさんずラブ』が強い支持を得られたのも、コメディーとして描かれていただけでなく、**視聴者を感情移入させることができたから**だと思います。その要因の一つとして「セリフは嘘つき」が挙げられるでしょう。みなさんも「セリフは嘘つき」、是非使ってみてください。

※『おっさんずラブ』 2018年4月期のテレビ朝日土曜ナイトドラマ 脚本：徳尾浩司 キャスト：田中圭、吉田鋼太郎、林遺都、内田理央ほか

ちょいプラの技術❸主人公の「共通性」をプラス

『きのう何食べた？』

「三分の一は発芽玄米の白い飯を家で食べました」

▼弱いところ、ダメなところで共通性

第一話の冒頭、筧史朗（西島秀俊）は勤務する弁護士事務所で依頼人の相談を受けた後、同僚弁護士に「筧先生は、きのう何食べた？」と訊かれて、こう答えます。「きのうは小松菜とねぎとわかめと油揚げの味噌汁と、長芋と明太子を二杯酢で和えてわさびと海苔をのせたやつと、鶏手羽先と大根を甘辛く煮たのと、ブロッコリーのおかか和えと、それと三分の一は発芽玄米の白い飯を家で食べました」

その後、帰り道に大手スーパーに立ち寄ると「ごんべんだしつゆ」を睨みつけます。そこには「激安」と書かれていますが、底値を大幅に上回る高値がつけられているのです。史朗は騙されないぞと、予定通りタイムセールで98円の低脂肪乳だけ買って立ち去ります。

そして、行きつけの地域密着型スーパー中村屋へ。その値段の安さに思わず笑みが浮かぶ史朗ですが、大手スーパーで買った低脂肪乳が92円で売られているのを見つけ、こっちのほうが

6円安いとショックを受けます。憤然とレジへ行き「ここ、低脂肪乳の特売って毎週木曜でしたよね」と文句を言うと、黙って貼ってあるチラシを指さされます。そこには他店に対抗して「本日限り低脂肪乳92円」と書かれていて、見落とした……と気落ちします。

細かいです。細かすぎます。史朗は、その**細かすぎる性格**ゆえ、同居しているゲイの恋人・矢吹賢二（内野聖陽）が帰宅するとコンビニの袋を下げているのを見つけ、「お前またコンビニで無駄なもの買ったのか」「なんだ、アイスか?」と尋ね、「ハーゲンダッツ！」と嬉しそうにする賢二を「ハーゲンダッツは中村屋で金曜日になれば2割引で買えるんだ。なんでコンビニで正価で買うんだよ」と叱りつけてしまいます。

さらに「10円20円の価値を考えてくれって、いつも言ってるだろ。朝と晩の食費を月2万5000円に抑えるのが俺の最重要課題なんだぞ」と言いつつ、レシートの値段を見て思わず、「高ッ！」と声を上げ、「だって中村屋には売ってないやつなんだよ。シロさんも、この前、食べたいって」と言い訳する賢二を睨みつけ、「ごめん」とへこませてしまいます。

このように主人公の弱いところやダメなところを描くと共通性になります。共通性を描くと観客や視聴者が自分を主人公に重ね合わせやすくなり**感情移入しやすく**なります。

▼自分と重ねやすく

文章と映像の登場人物の違いを考えてみましょう。

たとえば小説の登場人物は文章で描写されています。具体的なイメージは読者が浮かべていきます。それは読者によって、それぞれ違います。小説が映画化やドラマ化される時、原作に思い入れがあればあるほど「キャスティング（演じている俳優さん）が違うよ！」となりませんか？　それほど、はっきりしたイメージを作っているわけです。元になるのは他人が書いた文章ですが、そこから自分で具体的なイメージを半ば作っているわけです。自分が作ったイメージですので自分を重ね合わせやすくなります。

これに対して映画やテレビドラマの登場人物は俳優さんが演じます。観客や視聴者にとっては他人であることが明らかです。しかも主人公は、たとえば岡田准一さんや吉沢亮さん、北川景子さんや石原さとみさんが演じます。自分を重ね合わせやすいですか？　いやいや、とても無理ですよね。

そこで観客や視聴者が自分と同じだなあと思ってくれるような**弱いところやダメなところを描いて、自分を重ね合わせやすくし感情移入してもらう**わけです。

感情移入すればするほど観客や視聴者は面白いと感じてくれるので、共通性が描かれているかいないかが、面白くなるかならないかの分かれ道になります。

ちょっと注意してもらいたいのが、弱いところやダメなところなら**何でも共通性になるかというと、そうとは限りません**。

以前、ゼミにパンティストッキング・フェチのシナリオを書いてきた方がいました。個性あふれるキャラクターにゼミの仲間も私も魅きつけられました。私は、さらに主人公に共通性を持たせて描いてみてください、より観客や視聴者が感情移入するシナリオになりますとアドバイスしました。すると、作者の方が「ちょっと待ってください、浅田さん。パンティストッキング・フェチですよ?」と言うのです。「だってパンティストッキング・フェチはダメなところなんじゃないですか?」と。そこで私はゼミのみなさんに、パンティストッキング・フェチ、自分と同じだなあと思う人は手を挙げてくださいと言いました。まあ、自分と同じだと思っていても挙げにくかったとは思いますが。

そうなのです、共通性のポイントは観客や視聴者が主人公に自分を重ね合わせやすくなるよう、**「自分と同じだなあ」と思ってもらうこと**です。もちろん、パンティストッキング・フェチが自分と同じだと思う人もいらっしゃるでしょう。しかし、それは限られた人数です。より多くの観客や視聴者にとっての共通性にはなりません。

じゃあ、どうすればいいか? まず性格を一言で考えてみてください。そして、**「~すぎる」**と付けてみてください。お人好しすぎる性格とか、真面目すぎる性格とか、負けず嫌いすぎる性格みたいな感じです。その**「~すぎる性格」のマイナス面を描けば共通性になります**。人によって程度の差はありますが、お人好しというほどではないが人の頼みを断れなかったり、真面目ではないかもしれないが融通が効かないことがあったり、負けず嫌いというわけではないがムキになってしまったりしたことは誰にでもあることだからです。

私自身、晩ご飯や翌日の朝ご飯に何を作るか、あれこれ考えたり、買い物でスーパーをはしごしたりするタイプなので、とても史朗に感情移入します。それほどではなくても、自分が買ったものと同じものが安く売られていると面白くなかったり、どこが一番安く売っているか店やショッピングサイトを見比べたりしたことがあると思います。自分の好きなことや気になることには細かいことに目が向いて、こだわる人も多いでしょう。

共通性がしっかりと描かれているからこそ、ゲイではない観客や視聴者も感情移入して面白いと感じるわけです。

▼「ひょんの意味は何ですか?」

第1話の最後、結局、賢二が買ってきたハーゲンダッツを食べながら史朗はカップのカロリー表示を見て「これ297キロカロリーもあるのか。明日、一駅歩くか」と呟き、賢二に「もう、シロさん無神経。せっかく美味しいの食べてんのに」とたしなめられます。

そして「金も体型維持も一瞬の気の緩みが破綻を招く」と言う史朗に「破綻って。もう、シロさん、人生の喜びってのはさあ、綻びから生まれたりするもんなんだよ。恋人との出会いも、ひょんなことからみたいなの多いじゃん」と賢二が言うと、「その、ひょんなことのひょんって何なんだ?」と尋ねます。「ひょん? ひょんは、ほら、たとえばさ、病院で入院してる時にさ、インターンの先生が見回りに来てさ、診断されて、そのまま恋に落ちて、私たち付き合っちゃいましたとか、そういうのが、ひょんよ」と答える賢二に「なんで、そうやって妄想広げちゃうの？　違うよ。ひょんなのひょんって何ですかって言ってんの」「ひょんの意味は何ですか？」と突っこみます。

最終話、お正月に史朗は賢二を実家に連れて行きます。

その帰り道、賢二は「夢みたい。恋人の実家に遊びに行って、親御さんとご飯食べる日が来るなんて。だって、俺には、そんな日が来るなんて永久にないって思ってたもん。もう、俺ここで死んでもいい」と言って、さめざめと泣きます。

すると史朗は「何言ってんだ。死ぬなんて、そんな、そんなこと言うもんじゃない」と言った後、こう続けます。「食いもん、油と糖分、控えてさ、薄味にして腹八分目で長生きしような、俺たち」

細かすぎる性格ならではの、**ほかの誰も言わない史朗しか言わないセリフ**です。

主人公の共通性をプラスしようとすると自然とキャラクターが生き生きと描けて、個性あふれるシナリオになっていきます。

※『きのう何食べた？』　２０１９年４月期のテレビ東京系ドラマ24　原作：よしながふみ　脚本：安達奈緒子　キャスト：西島秀俊、内野聖陽、マキタスポーツ、磯村勇斗ほか

『ツバキ文具店～鎌倉代書屋物語～』
「人の手紙を書くって簡単な仕事じゃない」

▼代書屋という職業

雨宮鳩子（多部未華子）の職業は代書屋です。育ての親でもある祖母が文具店を営みながら人に頼まれて手紙を書いていたのを、祖母が亡くなり、思いがけず受け継ぐことになったのです。

鳩子は「人の手紙を書くって簡単な仕事じゃない」と悩みながら、さまざまな手紙の代書に取り組みます。

たとえば第4話では、幼馴染で初恋の人に、ただ自分が元気だということを伝えたいだけの手紙を頼まれます。依頼者の園田薫（川口覚）は、自分にも妻がいて子どももいるし、桜という名の相手の女性も7年前に結婚したと共通の友人から聞いている、自分の名前は「薫」なので女性の文字で書かれていれば、もし桜の夫が見ても女友達からの手紙だと思ってくれるはずだと話します。

桜の写真を渡された鳩子は、もう少し話を聞かせてほしいと頼みます。

ただ、なぜ今になって園田は桜に手紙を出そうと思ったのか気になります。

小学校と中学校、園田と桜が一緒に通学した道で思い出話を聞いた鳩子は「少しは、また会いたいって気持ちもあるんですか？」と尋ねます。園田は「うーん、どうでしょう？　全然ないって言ったら嘘になるかな」と答えつつも「向こうが、この手紙を機に会いたいと言ってきたとしても僕は会うつもりはないんです」と言います。自分は妻と子どもを愛している、でも桜は、それとは違った意味で大切な存在で、やっぱり会うとなると、どこか後ろめたく思ってしまうと思うからと話します。そして「だからこそ彼女が見たときに心に波風の立たない普通の手紙を届けられたらって思っています」と言い、何とか自分で書けないかと考えたが、考えれば考えるほど、どうしていいのかわからないと打ち明けます。

かつて園田が桜に告白したという神社で「もう二度と会わなくても桜が幸せであるように祈っています」「ずっと笑っていてほしいんです、桜には」と園田は言います。

そして「あなたなら僕以上に僕の思いを、しっかり桜に届けてくださると思います」と鳩子は手紙を託されます。

鳩子は、まず園田の深い愛情と思いやりを筆に込めたいと明治時代に日本の風鈴職人が生み出したというガラスペンを選びます。便箋はガラスペンとの相性から表面が滑らかなベルギー製のクリームレイドペーパーを、インクは園田と桜が重ねた月日を思いセピア色に、文章は桜が重く感じてしまわないよう葉書サイズ1枚にまとめることに決め、あとはぶっつけ本番で、園田に成り切り桜の幸せを願いながら言葉をしたためます。

数日後、鳩子は、園田が何度目かの脳の手術を受け亡くなったことを知ります。かけがえのない人への、人生最後になるかもしれない大切な手紙を自分に託してくれたのだと涙します。

▼ありきたりでない職業設定にする利点

初恋の人への、でも相手の心に波風が立たない手紙なんて一体どう書けばいいのか見当もつきません。このように、**ありきたりでない職業設定にすると、今まで観たことがない主人公の「困らせ方」ができ**、主人公は一体どうするんだろう？　どうなるんだろう？　と引きこまれます。

『ツバキ文具店』では、ほかにもペット（猿）を亡くした飼い主へのお悔やみや、離婚したことをお世話になった人たちに知らせる手紙、旧友の借金の申し込みへの断り状、厳しい姑への誕生日カード、姉妹のような親友への絶縁状などを頼まれます。どれも今まで観たことがない主人公の「困らせ方」で、魅力的ですし、**個性ある職業設定ならではの解決方法**で「へえ〜！」と思わせてくれます。

ぜひ参考にしてほしいのは、現在のメールやSNSが当たり前の時代に、あえて手紙に関わる仕事で、ありきたりでない発想を生み出していることです。今もてはやされているものや注目されているものは、多くの人が目を向けています。そこで、ありきたりでないものを発想するのは難しい。むしろ、**多くの人が目を向けなくなったものに着目する**ことで、ありきたりでない発想を生み、今という時代が見失ったもの、逆に今なお生き続けているものが描けるかもしれません。

さらに、ありきたりでない職業設定にすると主人公のキャラクター、特に性格をはっきりくっきりイメージしやすくなります。

性格を一言で考えて「～すぎる」をつける（たとえば真面目すぎる性格とか、負けず嫌いすぎる性格とか）とキャラクターならではのリアクションやセリフが浮かびやすくなります。

ただ、この性格を考えるというのが、ちょっと難しい。性格って抽象的なんですね。そこで具体的な職業を考えてあげるんです。**その職業から性格をイメージしていく**のですが、ありきたりでない職業設定なら、より個性が際立ちやすいので**性格を考えやすくなります**。

▼律儀すぎる性格

鳩子は、律儀すぎる性格です。第2話に、こんなエピソードがあります。いきなり文具店に来た楠帆子（片瀬那奈）からポストに投函した手紙を取り返してほしいと頼まれます。帆子は父親が危篤で一刻も早く駆けつけたいと言います。鳩子はポストで郵便配達員を待ちますが、本人が郵便局で手続きしないと手紙は取り返せないことがわかります。帆子に電話すると手紙はもういいと言われます。しかし、鳩子は手紙の受取人のマンションまで行き、受取人に不審がられながらも帆子からの手紙を読まないでほしいと頼むのです。

綺麗な文字で丁寧に手紙を書く代書屋らしい律儀すぎる性格ならではです。

第6話では、母親の介護に悩む白川清太郎（高橋克典）が代筆を頼みに来ます。

白川の母親は認知症が進むにつれて、20年前に亡くなった父親から手紙が来ると言い出すようになり、手紙を探して徘徊を繰り返して外で転んだりしたこともあって、白川は母親を介護施設に入居させます。しかし、その後も「お父さんからの手紙が来るから家に帰る」と言って聞かないため、父親からの手紙を鳩子に書いてもらえば、母親も落ち着くのではないかと考えたのです。

貿易商だった白川の父親は海外を飛び回っていたと話しながら、風呂敷いっぱいのエアメールを鳩子に手渡します。その手紙は、どれも「愛するチーちゃんへ」で始まり「世界で一番チーちゃんを愛しているボクより」という言葉で終わっています。

白川の頼みを引き受けることにした鳩子は、白川の母親に会いたいと言い、白川が母親をツバキ文具店に連れてきます。母親が寝てしまい、鳩子は白川に甘酒を出します。白川は甘酒を飲むと、鳩子の祖母がいなかったら自分も母親も、今、生きてはいないんだと話し始めます。

鳩子の祖母が亡くなる1年ぐらい前、白川は母親と心中しようとしたのです。母親と練炭を乗せた車から降りた白川は、鳩子の祖母に電話をかけます。「僕は傲慢な人間です。自分は何でもできると思ってました。でも、もう限界で」と話すと「私が行くまで一歩も動くんじゃないよ」と言って鳩子の祖母は駆けつけてきます。その時、持ってきたのが甘酒です。「飲んで。甘酒。ほら、あったかいから。飲みなさい！」と叱りつけるように飲ませ、白川は心中を思いとどまったのです。

鳩子は、帆子たちと鎌倉七福神巡りに出かけ、手をつないで散歩する老夫婦の姿を望遠鏡で見ます。昼ご飯を食べていて、いきなり「いま手紙書いてもいいですか」と言い出します。

そして、手近にあった便箋にボールペンで白川の父親からの手紙を書き上げます。「いつも、こうやって手紙書いてるの？」と帆子に尋ねられて「いつもは身を清めて道具を選んでから書くんですけど、今はいてもたってもいられなくて」と答えます。

でも、それで終わりではありません。その手紙を台紙に貼り、ずっと枯れることのない思いを託して押し花を周りに飾ります。押し花が取れてしまわないように手紙をロウ引きにするのです。その手紙の文字を見た白川は「親父の字だ」と呟き、涙を流して手紙を読みます。

このように、ぜひ、ありきたりでない職業設定から、ありきたりでないドラマを生み出してみてください。

※『ツバキ文具店～鎌倉代書屋物語～』　２０１７年４月期のＮＨＫドラマ10　原作：小川糸　脚本：荒井修子　キャスト：多部未華子、高橋克典、上地雄輔、片瀬那奈ほか

『僕らは奇跡でできている』
「お母さんのスゴイところ百個言えるよ」

▼授業シーンだけでも面白いドラマ

相河一樹（高橋一生）は都市文化大学の講師です。その動物行動学の授業は魅力にあふれています。第1話ではパンダの進化について話します。

「さまざまな生物たちが長い年月をかけて進化してきました。生き残れるかどうかは戦いの勝ち負けで決まると思いますか？

たとえば氷期には絶滅した生き物もいます。でも、このジャイアントパンダは氷期を生き抜き現在でも存在しています。しかもジャイアントパンダは繁殖能力が低いのに生き残っているのです。不思議ですよね。

クマ科のジャイアントパンダは元々、肉食でした。でも他の動物たちと餌を取り合っても負けるので高地に移動し、たまたま、そこに生えている竹を食べることにしました。この竹っていうのが氷期が来ても枯れなかったんです。だから餌がなくなることはありませんでした。

でも、元々、肉食だったジャイアントパンダの腸は竹を上手く消化できず十分な栄養を取れないので、あまり動かないようにしました。そんなことをしていたら他の獰猛な肉食動物に襲われてしまうところですが、高地にはそもそも生き物は少なく、襲われることはありませんでした。つまり戦いに勝ったものが生き残ったわけではないのです」

こんな授業だったら受けてみたくなりますよね。しかも最初のうちは、ほとんどの学生が授業を聞いていないのに、相河は楽しくてたまらないといった感じで話すのです。

さらに第2話では学生たちとフィールドワークに出かけます。

相河が手作りしたバードコールを学生たちが鳴らしても何の反応もありません。しかし、相河がバードコールを鳴らすと鳥が鳴き返してきます。「半径250メートル以内に、シジュウカラが3羽います」と相河が言います。バードコールを鳴らし続けると別の鳥の声がして「今のはゴジュウカラ」と。さらに鳴らし続けると鳴き返してきた鳥の声に「警戒してますね」と言います。

相河はバードコールを鳴らし続けながら鳴き返してくる鳥の声を聞いて「ヤマガラもいますね。オスがメスに告白しています。この後、間違いなく交尾ですね」と言い、学生たちが顔を見合わせたりしていると「冗談です。この時期は交尾しません」と笑います。

学生たちも相河が鳴らすバードコールの音と、それに応えて鳴く鳥の声の会話に聞き入ります。やがて相河は笑みを浮かべ「機嫌直りましたね」と言います。

▼「集中しすぎ」が際立つ特技を生む

『僕らは奇跡でできている』の中では明言されていませんが、相河は、いわゆる発達障害だと思われます。それも自閉症スペクトラム障害の傾向が強く、自分が興味のあることに集中しすぎ、その分、ほかのことを忘れてしまう特性があります。

第1話でも、屋久島で拾ったニホンザルの骨を復元しようとして、失くしていた犬歯が机の下から見つかり、嬉しくなって復元に夢中になってしまい歯医者さんの予約を忘れてしまいます。

第2話で学生たちとフィールドワークに行ったのも、歯医者さんの古い蛇口をひねるとキュキュと音がして、それがシジュウカラの反応する音だったことから思い立ち、急遽、授業の予定を変更したものです。そのためフィールドワークの届け出が出ていないと事務長に叱られてしまいます。しかし、その集中力によって培われた生物に関する豊富な知識が、興味深い授業を生み出していきます。

第3話では、動物園のトラを休園日に他の場所に移し、そこにヤギを放すことで匂いをつけトラの野生の本能を目覚めさせていることが紹介されます。

第4話では、ヘラジカは角が大きければ大きいほどメスにモテるが、角は本当は邪魔で森を走るときに木に引っかかり転倒したり、そのことで肉食動物に襲われてしまうこともあるという話をします。

第5話は、アリの繁殖システムについてです。女王アリの娘である働きアリは卵を産まず、より多くの遺伝子を残す方法として女王アリに姉妹を産ませ育てているのです。

学生たちはだんだん、授業に耳を傾けるようになり、さらに授業を取っていない学生も面白いという評判を聞いて話を聞きに来るようになります。

第5話では、もう一つ授業のシーンがあります。カメの甲羅に刻まれた年輪で、何回冬を越したのか、つまり何歳なのか、おおよその年齢がわかるという話をします。授業終わりのチャイムが鳴りますが、**学生たちは席を立ちません。相河の話が終わるまで席について聞いています。**

『僕らは奇跡でできている』では、ほぼ毎話、授業のシーンがあり、その内容は各話のドラマと関連づけられていますが、ただ授業のシーンだけでも十分に引きつけられます。

第7話では、生物の分類の話からハムシについて語られます。あるときトゲのあるハムシが発見されトゲハムシと命名されたのですが、トゲハムシの仲間なのにトゲのないトゲハムシが発見されトゲナシトゲハムシと命名されたことが紹介され、相河は「もし、この先、トゲナシトゲハムシの仲間なのにトゲのあるトゲナシトゲハムシが発見されたらトゲアリトゲナシトゲハムシと命名されることが予想されます。そして、トゲアリトゲナシトゲハムシの仲間なのにトゲのないトゲアリトゲナシトゲハムシが発見されたらトゲナシトゲアリトゲナシトゲハムシになることが予想されます」と学生たちと一緒に笑います。

▼「誰でもできることは、できてもスゴくないんですか?」

第7話では、もう一つ、相河の少し変わった特技が発揮されます。

歯科医である水本育美(榮倉奈々)のクリニックで知り合い仲良くなった小学生・宮本虹一(川口和空)が泊まりに来たとき「これから虹一くんのスゴイところを百個言うね」と言います。「百個?」「そんなにあるわけないよ」と言う虹一に「ある。言うね」と。

虹一の母親・涼子(松本若菜)は、虹一が人と同じようにできないことを気にしています。勉強も、やればできるのに、できないのはやる気がないからだと思っています。虹一が教科書を読むと頭が痛くなると訴えても、勉強したくない言い訳だと決めつけます。

涼子に勉強の邪魔だからと色鉛筆とスケッチブックを取り上げられたことから、虹一は家を抜け出し相河を訪ねてきたのです。

しかし、眼の検査で虹一は光に対する感受性が強くて、文字を読むときにストレスがかかることがわかります。

涼子は、虹一が人と同じようにできないとダメな母親だって思われるんじゃないかと不安だったのだと相河に告白します。

涼子が帰った後、育美が相河に「虹一くん、良かったですね」と言います。相河が「はい」

と答えます。

宮本家では「ダメなお母さんでごめんね」と謝る涼子に、虹一が「ダメじゃない。お母さんのスゴイところ百個言えるよ」と言います。

カットバックで、相河家では育美が「そういえば本当に虹一君くんのスゴイところ百個も言えるんですか?」と相河に尋ねます。相河は「はい。虹一くんに言いました」と答え「水本先生のスゴイところも百個言えます」と続けます。「え?」と驚く育美に「時間を守ります。歯の治療をします。歯を綺麗にします。クリニックの院長です。子どもたちに歯の勉強会をします。紙芝居を作ります」と指を折りながら上げていきます。「会ったとき、こんにちはって言ってくれます」と言うと、育美は「それって誰でもできることなんじゃないんですか」と。すると相河は「誰でもできることは、できてもスゴくないんですか?」と答えます。

宮本家では「朝、起こしてくれる。ご飯を作ってくれる。掃除をしてくれる。洗濯をしてくれる」と挙げていく虹一を涼子が涙を流しながら抱きしめます。

こんな主人公にしかできないことを描いてみてください。観客や視聴者が「この主人公をもっと観たい」と引きつけるシーンになること間違いなしです。

※『僕らは奇跡でできている』2018年10月期のフジテレビ系火曜ドラマ　脚本：橋部敦子
キャスト：高橋一生、榮倉奈々、要潤、児嶋一哉ほか

『危険なビーナス』
「こういうところだな、僕がダメなのは」

▼『危険なビーナス』の第４話

矢神家の三十億円の遺産相続争いに、主人公の手島伯朗（妻夫木聡）が巻きこまれていくサスペンスドラマ『危険なビーナス』の第４話、支倉百合華（堀田真由）が主人公を訪ねてきます。置き手紙を残し、姿を消した百合華の母親・支倉祥子（安蘭けい）を一緒に探してくれというのです。

しかし、矢神家の次女である祥子は、長男と再婚した主人公の母親をいじめていたことがあり、一度は断る手島ですが、母親を心配して涙をこぼす百合華を見て放って置けなくなります。

しかも、祥子を探すのを一度は断ったことを「大人気《おとなげ》なかった。謝るよ。ごめん」と百合華に頭まで下げます。

さらに支倉家を調べていて百合華の父・支倉隆司（田口浩正）に見つかり追い出された後も、「すみません、何か嫌な思いをさせてしまって」と謝る百合華に、「いや、気にしないで。ここに来ることを決めたのは僕だから」と言うのです。

文倉の浮気が発覚し、矢神家で親族会議が開かれます。そこで失踪した祥子を、お前たちが誘拐したんじゃないのか、いや、そっちが殺したんじゃないのかと言い合いになると、涙ぐむ百合華を見て手島は思わず「金とか遺産とか、そんなことしか、あなたたちの頭の中にはないんですか。だいたい、さっきから百合華さんの前で何やってんだよ。百合華さんは純粋に、お母さんの心配をしてるんです」と声を荒げます。

すると祥子が姿を現わします。文倉の浮気に気づき実家に戻っていたのです。「お母さん、どうして。心配してたんだよ」「何で教えてくれなかったの？　何度も連絡したのに」と尋ねる百合華に、「お父さんが心配して探してくれるのを待ってたの。私にも足りないところがあったかもしれないって思って、それで、もしも私への思いが、ほんの少しでも残っているなら、もう一度やり直したいって」と答え、「伯朗さん、もし、ご存知なら教えてくれませんか？　私がいなくなってから夫はどうしていたんでしょうか？　正直に、お話しください」と言うのです。

手島は「昨日の夕方、矢神園から抜け出す隆司さんに会いました。隆司さんは……」と言いかけて口ごもります。実は矢神楓（吉高由里子）と文倉の浮気現場を目撃していたのです。しかし「祥子さんを心配して必死に探していました。誰よりも祥子さんが大切なんだと思います」と嘘をつきます。

▼性格を具体的に考えるなら、職業を考える

手島は**優しすぎる性格**です。

先にも説明しましたが、性格を一言で考え「〜すぎる」をつけると（たとえば真面目すぎる性格とか負けず嫌いすぎる性格とか）共通性がイメージしやすく描きやすくなります。共通性が描かれていると観客や視聴者が感情移入しやすくなります。感情移入すればするほど観客や視聴者は面白いと感じてくれるので、**共通性が描かれているかいないかは、面白いシナリオにできるかできないかの分かれ道**になります。

また、「〜すぎる」性格を考えると、**キャラクターならではのリアクションやセリフ**が浮かびやすくなり個性を際立たせることができます。個性が際立てば際立つほど今まで映画やドラマで描かれたことがないシーンになり、観客や視聴者は面白いと感じてくれます。

でも、性格を考えるのって難しくて思うようにできませんという人が多いのです。

というのは性格って目に見えるものではありません。行動分析学では「要約語」というらしく、実際には実在の人物がいて、その人が具体的な行動をする、たとえば、いつも丁寧に挨拶をしてくれる、ドアを開けたりエレベーターの扉を押さえて通してくれた、といったことがあって、あの人は礼儀正しい性格だなあと思うわけです。目に見えているのは一つ一つの行動で、それを要約して性格を思い浮かべているというわけです。

こういう具体的な行動がないのに、いきなり性格を思い浮かべようとしても、なかなか上手くいかないんですね。

そこで性格を考えやすくするために**職業を考えてみてください**。職業なら具体的で考えやすくなります。

あくまでも性格をイメージしやすくするために考えるので、イメージしやすい職業を考えてください。イメージしにくい代表がサラリーマン・ＯＬ、学生、主婦、フリーターでしょうか。また、コンクールの時に気をつけてほしいのが、テレビ映画芸能関係の職業です。審査員の職場および職場に近いので観る目が厳しくなり評価が辛くなります。

おすすめは自分の身の周りを見まわしてみて、よく行く場所や店、友人知人など、**よく接する職業**です。職業ものを描くわけではないので（職業ものを描く場合は詳しく調べる必要があります）、そんなに詳しいわけじゃないけど何となく想像することができるぐらいの距離感が描きやすいと思います。

その職業から性格をイメージしてみてください。たとえば、調剤薬局の薬剤師なら几帳面な性格、自然食品店のオーナー店長なら頑固な性格みたいな感じでしょうか。

人によって性格をイメージしやすい職業とイメージしにくい職業があるので、いくつか職業を挙げてみて、一番、性格がイメージしやすくてリアクションやセリフが浮かびやすい職業を選びます。

手島の職業は獣医師です。優しすぎる性格が浮かびやすい職業です。

▼感情移入して応援したくなる

『危険なビーナス』第8話では、母親が矢神家の誰かに殺されたのではないかという疑いに加えて、実の父親の死についても母親と矢神家の長男である義父が関与していたのではないかと思い始め、心労もあって手島はカメの診察中に居眠りしてしまいます。

動物看護師の蔭山元美（中村アン）に「副院長！」と起こされ、「軽い肺炎だろうから薬を与えて様子を見るんですよね」とフォローしてくれて、「ああ、そう、それと少し便秘気味のようなので、そちらの薬も出しておきます。水温は28度ぐらいにしてください」と誤魔化します。

しかし、カメの飼い主の少年は、ずっと手島を睨みつけたまま帰って行きます。

元美に「診察中に居眠りなんて、あり得ません。いろいろ大変なのはわかりますが、何よりも大切なのは日常ですよ」と嗜められ手島は、「すまない」と頭を下げます。「私じゃなくて水越さん親子とカメ太郎くんに謝ってください」と元美に言われ、動物病院の正面に立ちカメの飼い主親子が去っていった方向へ「申し訳ございませんでした」と深々と頭を下げます。

第9話、楓がマンションの部屋で矢神勇磨（ディーン・フジオカ）と一緒にいたことにショックを受け、酔っ払った手島は「僕はダメな男だ」と元美に抱きつきます。

元美に「副院長、顔を見せてください」と言われ体を離すと、いきなり頬を思い切り平手打ちされ「目が覚めました？　ほんとダメな人ですね。自分の都合だけで女性を抱きしめるとか、最低です。弱ってる自分を見せれば私が慰めるとでも思ったんですか？　相手の気持ちも考えないで、その場しのぎで、ただ楽になる捌け口にするなんて、私のこと何だと思ってるんですか？　馬鹿にしないでください」と叱りつけられます。

手島は「申し訳ない。本当に、すみませんでした」と、またまた深々と頭を下げます。

翌朝、お詫びに手島は手作りシフォンケーキを元美に渡します。「初めてです、男の人に手作りスイーツもらうなんて」と言う元美に、「気持ち悪いか」と笑うと、「いえ、チョコペンでメッセージとか書いてあったら引いちゃいますけど」と箱を開けると、チョコペンで「いつもありがとう」と書いてあります。手島は「こういうところだな、僕のダメなのは」と呟きます。

こんなシーンがあると、**どんどん主人公に感情移入して応援したくなります**。また、遺産相続争いや母親の死の真相といった殺伐としたシーンが多い中で、ホッとさせてくれる効果もあります。主人公の職業や職場のシーンはメインのストーリーとは関係ありませんが、**視聴者を魅きつける重要な要素**になっているのです。

※『危険なビーナス』２０２０年10月期のＴＢＳ日曜劇場　原作：東野圭吾　脚本：黒岩勉　キャスト：妻夫木聡、吉高由里子　ディーン・フジオカ、染谷将太、中村アンほか

創作のお悩み相談1

Q ありきたりな説明セリフばかり書いてしまいます。

A キャラクターからセリフを発想しましょう。
そのキャラクターしか言わないような
セリフを考えてみてください。

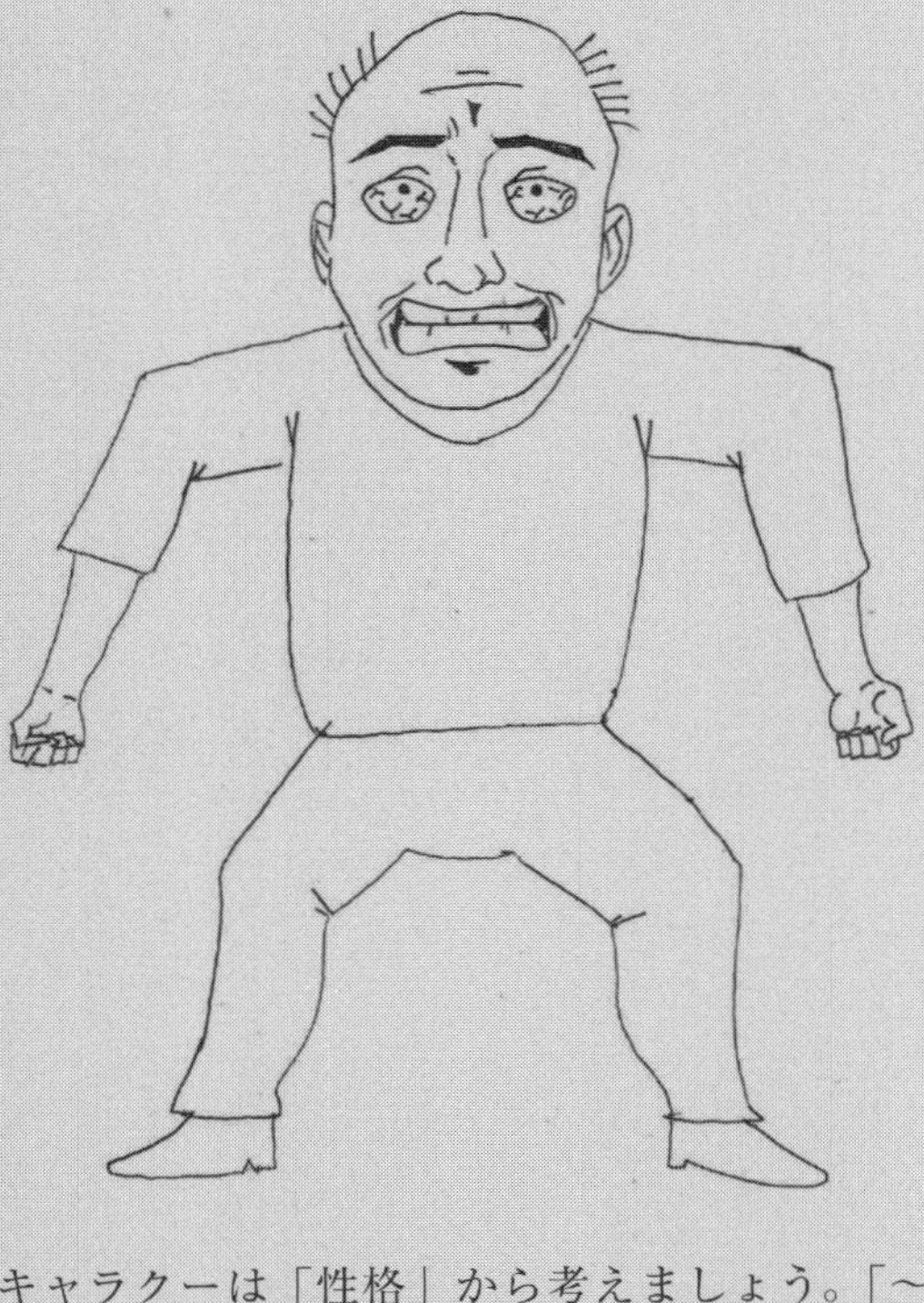

キャラクーは「性格」から考えましょう。「〜すぎる性格」を考えてみてください。「頑張りすぎる性格」「細かすぎる性格」…自然にセリフやリアクションが浮かんできます。
ありきたりではない職業から性格を考える手もあります。

ちょいプラの技術❼「ラウンドキャラクター」をプラス

『イノセント・デイズ』

「いま外に出られない人に届けたいんだ」

法廷で田中幸乃（竹内結子）が死刑判決を言い渡されるエピソードから『イノセント・デイズ』は始まります。

その傍聴席に主人公の佐々木慎一（妻夫木聡）がいます。

アパートが放火され井上啓介（池内博之）の妻と双子の子どもが焼死、井上にストーカー行為を繰り返していた幸乃が逮捕されたこと、その事件がワイドショーに取り上げられ話題になっていることが描かれると、佐々木の職場のシーンになります。

夜間清掃員として働く佐々木が黙々と無表情にモップがけをしています。

休憩時間になり同僚たちは食事に出かけていきます。そのうちの1人に「メシいきません？」と声をかけられますが、佐々木は黙って首を振り軽く頭を下げます。1人になるとビニール袋からパンを出して食べ始めます。

▼家での母親とのシーン

次は家での姿が描かれます。佐々木が帰宅すると母親の朋子（原日出子）がソファに座ったまま居眠りしています。「寝てなかったの。母さん？」と佐々木が声をかけても目を覚ましません。「母さん、ただいま」と少し大きな声を出すと「ああ、慎ちゃん、おかえり」と答えます。佐々木は「立って。寝ないと」と朋子の脇に手を添えて、脇に置いてあった杖を手にした朋子を立たせます。つけっ放しのテレビでは幸乃の事件を取り上げています。テレビを消すと「慎ちゃん、ご飯食べたの？」と尋ねる朋子に「ああ、うん。歩ける？」と優しく言います。

そして、小学校の卒業アルバムを調べ、幸乃の義理の姉を探し始めます。

第1話の終わり近くには、こんなシーンもあります。

朋子がコップを倒して牛乳をこぼしてしまいます。佐々木が来て「慎ちゃん、ごめんね」という朋子に「いいよ、俺がやる」と言って床にこぼれた牛乳を拭き始めます。朋子がテーブルの上の牛乳を拭いていて床にこぼしてしまい「ああ、ごめん」と謝ると「俺がやるって」と言いますが、朋子は拭くのをやめずコップを落としてしまい佐々木に当たってしまいます。「ごめんね」と言いつつ、なおも拭こうとする朋子に、佐々木は思わず「いいから手を出すなって！」と声を荒げてしまいます。さらに不満そうに押し黙る朋子に「何だよ、その顔」と言ってしまいます。朋子は少し黙っていますが「ごめんね」と言います。佐々木も黙ってしまいますが、コップを戻し牛乳を拭きはじめます。

▼ラウンドで描くと感情移入しやすい

『イノセント・デイズ』は、佐々木が幼なじみだった幸乃の義理の姉や中学の同級生、幸乃の元恋人・井上の親友、幸乃が放火したとされるアパートの大家などと会って話を聞くことで、放火殺人事件の犯人として逮捕されるまでの幸乃を描いていきます。並行して、やはり幼なじみで今は弁護士をしている丹下翔（新井浩文）とともに再審請求に向けて奔走していきます。

じゃあ、幸乃の過去や再審請求に向けてのドラマに、佐々木の職場のシーンや母親とのシーンは、どう関わってるの？　と疑問に思われた方もいるかもしれません。

もちろん、母親に声を荒げるシーンは幸乃を何とかしたいと思いながら何もできない苛立ちが描かれていたり、会社員だと嘘をついていたことが丹下と仲たがいしてしまうきっかけのひとつだったり、まったく関係がないわけではありませんが、それほど大きなドラマを生み出しているわけではありません。

それよりも**職場のシーンや母親とのシーンによって、主人公をラウンドキャラクターとして描いているの**です。

ラウンドキャラクターについて基礎講座では、「一流商社の超エリートサラリーマンである主人公が世界と戦うドラマを描くとしたら」という例で話をしています。舞台となる職場のシーンがメインで描かれます。商社の中だけでなく官庁や海運会社に出向いたり、時にはアラブに飛び石油王と丁々発止でやり合うシーンも描かれるかもしれません。それだけでなく家庭のシーンも描かれます。妻に頭が上がらず肩を揉まされていたりします。さらに行きつけの店です。駅前の小さな居酒屋でアルバイトの女の子にダジャレを言って喜んでいる姿も描かれます。

これに対して、脇役の上司は職場だけが描かれます。主人公と職場で「君なんてマシだよ。僕なんか夜中、コンビニにアイス買いに行かされるんだよ」と愚痴るのはありですが、実際に買いに行くシーンは描かれません。これがセミラウンドキャラクターです。

主人公をラウンドキャラクターで描くと、観客や視聴者は**自分と同じように生活している身近さを感じ、感情移入しやすくなります**。

ただ、主人公をラウンドキャラクターで描いていない例外もあります。映画『シン・ゴジラ』がヒットした時、ある映画コメンテーターがユーチューブの番組で、主人公の家族が描かれていないのが良かったとした上で、「シナリオ学校のジジイの講師が家族を描けと教えているのがよくない」と発言していて、「ジジイの講師？　俺のことか？」と思ったことがあります。

それでも主人公をラウンドキャラクターで描いてみてくださいとお勧めするのは、ラウンドキャラクターで描く力をつけていただきたいからです。ラウンドキャラクターで描く力がついていれば、たとえば家庭や行きつけの店を描かず職場のシーンだけ描いてセミラウンドキャラクターにすることは、いつでもできます。一人暮らしならマンションのワンルーム、職場ならオフィスでパソコンに向かってというようなありがちなシーンではなく、もっと個性ある生き生きしたラウンドキャラクターを生み出す力をつけてほしいのです。

▼ラウンドキャラとして丁寧に描く

第4話には、幸乃が過去と決別しようとしていたことを知った佐々木が、正社員の採用面接を受けるシーンがあります。「会社勤めの経験はないんですね」と質問され「いろいろありまして高校は行ってなくて、あ、あの、でも大検パスして通信制の大学に。そういう過去にコンプレックスがあって。就職なんて無理だと思ってたんですけど、頑張ってる友人たちに負けないように過去と決別して、ちゃんと生きたいって、そう思ったんです」と答えます。

そのあと不採用の通知を受け取りますが、第5話では正社員として採用されスーツ姿で上司と外回りらしく一生懸命に相手に頭を下げているシーンが描かれています。

同じく第5話で佐々木は初めて拘置所の幸乃に手紙を書きます。

便箋の横には桜の花びらがあります。その日、丹下と小学生の時の思い出の丘に行くと、幸乃の誕生日に一緒に見た桜が咲いていていて、花びらをひとつ持ち帰ったのです。

「あら、もう咲いてるの？」「桜の花びらでしょう？」と気づいた朋子に「母さん、これさ、枯らさずに保存する方法ってないかな」「いま外に出られない人に届けたいんだ。桜が好きだったから」と尋ねます。朋子は「あら、入院？　気の毒ねえ。それなら押し花にするのはどう？　香水を一滴だけ垂らして、桜の香りの。母さん、持ってるから」と杖を使って立ち上がり香水を取りにいきます。

とにかく主人公に深く感情移入するのは、口下手で人づきあいが苦手な共通性がしっかり描かれているのが一番の要因ですが、ラウンドキャラクターとして丁寧に描かれていることもポイントになっています。ぜひ参考にしてみてください。

ここから先はネタバレになっているので、それが嫌な方はレンタルや配信などで、ご覧になってから読み進めてください。

最終話、佐々木と丹下は実は幸乃が犯人ではなかったことを摑みかけますが、クライマックスは幸乃の死刑が粛々と執行されます。

自分が犯人ではないのに死刑を執行されたいと願う幸乃の気持ちは、私には正直、まったくわかりません。

しかし、佐々木に深く感情移入しているので、このクライマックスには胸が張り裂けそうになります。できれば目を背けたいような、でも釘づけになって決して目が離せない圧倒的なクライマックスになっています。

※『イノセント・デイズ』２０１８年３～４月ＷＯＷＯＷ全６回　原作：早見和真　脚本：後藤法子　キャスト：妻夫木聡、竹内結子、新井浩文、芳根京子、原日出子ほか

『姉ちゃんの恋人』

「反対するの、親は。あんたのことを思って」

『姉ちゃんの恋人』は、同じホームセンターに勤める安達桃子（有村架純）と吉岡真人（林遣都）の、いわば職場恋愛を描くラブストーリーです。なので、2人の職場が描かれますし、ほかにも公園にバーベキューに行くシーンや、観覧車のシーンなども描かれます。

桃子や真人の住まいのシーンも描かれます。桃子は3人の弟と一軒家に住んでいます。桃子が高校3年生の時に両親が交通事故で亡くなったため、ホームセンターに就職して弟たちを養ってきたのです。真人は古びたアパートで母親と2人暮らしです。母親がパートで働く弁当屋に真人も時々手伝いに行っています。

▼仕事帰りのコンビニで話す桃子とみゆき

そして、桃子の行きつけの場所が描かれます。元酒屋らしきコンビニの前でビールケースを椅子にして親友の浜野みゆき（奈緒）と互いの悩みを打ち明け合うのです。

たとえば第5話、待っていた桃子は、みゆきが来るなり「告白したよ〜」と報告します。

2人で缶チューハイを飲みながら、みゆきに「桃子から告白かあ。意外」と言われ「でしょう？　でしょう？　だよね。まあ、私はさ、普段は強気っていうか、言いたいこと何でも言うって感じだけどさ」と桃子が言いかけると、みゆきに「恋となるとねえ、ビビリだし、グズグズだし、グダグダだし、ジタバタだし、おまけにバカだし。濁点がいっぱいだ」「私もだから。恋に怯えるビビリシスターズだから、私たち」と指摘されます。

そして「そんな私がだよ、つい告白してしまったわけだけど」と話し始めます。「なんかねえ、私がそうしないと消えてしまいそうな気がしてさ」「何かね、ぎゅっとつかんでないと消えていなくなってしまうような気がするんだ」「前にも言ったけど自惚れとかじゃなくてね、なんか、わかるんだ、私のこと嫌いじゃない、ううん、好きでいてくれてるって。告白した時だってね、嫌そうな感じはないの。でも、ちょっと困った顔してて。それも好きでもないのに勘違いされて告白されて困ったじゃなくてね」と言うと、みゆきに「え？　でも、じゃあ何で困るの？」と尋ねられ「わかんない。わかんないよ。でも、そうなんだよ、困ってるとしか言いようがない顔なの。何か言いたいことがあるのに言えない、みたいな」と答えます。

ここで、いきなり弱気になり「でも、違うのかなあ。私の思い上がりなのかなあ。自分で好きなのがわかるとか言っちゃって、ハズレなのかなあ。違うのかな。単に好きなわけじゃないから困ってんのかな。だったら最悪だなあ。やらかしちゃったのかなあ、私。あ～あ、嫌だなあ、フラれるの嫌だなあ。こんなに好きなのに。もう楽しく会えなくなるのかな。仕事行くの嫌になるのイヤだなあ。どうしよう。なんで私、こんなに悪いほうへ悪いほうへ考えて泣いてんだろ」と愚痴ります。すると「桃子、それも、また恋だ」とみゆきが言い「そうか、そうだった」と桃子が答えます。

この後、コンビニにおでんを買いに行ったみゆきが「ちょっとしかないから、このままでいいって」と鍋ごと持ってきて2人は大笑い、すぐに笑顔を取り戻します。

職場や弟たちの前では見せない桃子の本音が伝わってきて、とても感情移入するシーンになっています。

▼主人公をラウンドキャラクターで描く効用

主人公や主役をラウンドキャラクターで描くことは、前にもお話ししました。たとえば、ホームドラマであったとしても、職場や行きつけの店のシーンも描くのです。どんなところで働いているのか、どんな働きぶりなのか、どんな店が行きつけなのかなどで、よりキャラクターが伝わったり、家族には見せない気持ちの動きが描けたりして、観客や視聴者が、より感情移入しやすくなります。

もちろん、たとえば職業もので、あえて職場のシーンしか描かれていないといった例外もありますが、**特にラブストーリー**は、観客や視聴者を、より主人公や主役に感情移入させたいのでラウンドキャラクターで描くのがお勧めです。

ところが、前にもちょっと書きましたが、みなさん、職場というとオフィスでパソコンに向かっているシーンばかり、1人暮らしだと住まいはワンルームマンション、行きつけの店は居酒屋といった感じ。これでは確かに、描いても描かなくても変わりないかと考えてしまうかもしれません。どうせ描くなら、**よりキャラクターの個性が際立つ職場や住まい、行きつけの店や場所のシーン**を考えてみてください。

書店員とダイエットジムのインストラクター、フランチャイズチェーン店のエリアマネージャー、クリーニング店のシミ抜き職人、大学病院の管理栄養士ではイメージが全然違ってきます。

住まいも1人暮らしなら下町のおでん屋の2階に間借りしていたり（『地味にスゴイ！ 校閲ガール・河野悦子』）、銭湯を改装したシェアハウス（『おかえりモネ』）なども考えられますし、二世帯住宅の実家暮らしで、いつも祖父母も一緒の賑やかな晩ご飯だったりするかもしれません。

行きつけの店や場所も、キックボクシングのジムに通っていてもいいし、漫画喫茶や釣り堀、マッサージ店、碁会所などなど発想を広げてみてください。

枚数の少ない課題のシナリオや20枚シナリオではラウンドキャラクターで描けないこともあるかもしれませんが、**実際には描かなくてもラウンドキャラクターで考えて**みてください。主人公や主役のキャラクターが、よりはっきりくっきりイメージできるようになり、キャラクターならではのリアクションやセリフが浮かびやすくなるはずです。

▼本音や思いが伝わるシーン

第6話、缶チューハイを飲みながら桃子はみゆきに、襲われそうになった恋人を助けようとした吉岡が、相手に重傷を負わせ暴行傷害罪で服役、前科があることを話します。

みゆきの顔を見て桃子が「なんか怒ってる?」と尋ねると、みゆきは「怒ってるよ」と答え「ごめん」と謝る桃子に「あんたにじゃないよ」と言います。「せっかく素敵に人と出会えてよかったって思ってたのに、何で? 何で、あんたみたいな良い子が、そんな辛い恋しなきゃなんないの? そういう世界に怒ってんの、私は」と話します。

「その彼は、あんたに付き合いたいとかって言ってんの?」と尋ねると「一度も言ってない。そんなことできる人間じゃないんだ。ごめんって」と答える桃子に「何だよ、それ。むかつけないじゃん」と言います。

そして、さらに「好きなんだ、それ聞かされても」と尋ねると、桃子は「うん、だと思う。でも、正直、どうしたらいいかわからない気もするけど」と迷いながらも「好き、うん、好き」と言い切ります。

そして「応援してくれる?」と言う桃子に、みゆきは「しない」「悪いけど、しない。反対する」と言うのです。「別に私が反対したからって私の言うこと聞かなくたっていい。でも私は反対する。必要なんだよ、あんたにはさ、反対する人が」「こういう時、親だったら絶対、反対するの。好きなら仕方ない、とか言わないの。私も親なんて、いてもいないようなもんだし、でも、きっとそうなの。嫌われても、悪役になっても、反対するの、親は。あんたのことを思って」「でも必要なんだよ、そういう人は、そういう人がいるからさ、その人を説得するには、納得させるには、幸せになるしかないの。わかる?」「だから私は反対する。そんな奴、やめとけ。悔しかったら、私に、だから言っただろって言われないようにしな」と話します。

でも、みゆきは思わず「がんばれ」と言ってしまい「あ、違う。反対だった」と言い直します。そんな、みゆきに桃子が抱きつき、2人は笑いながら抱き合います。

桃子の本音や、桃子とみゆきの関係、そして、みゆきのキャラクターや桃子に対する思いも伝わってきて、とても引きこまれます。

ちなみに第7話では、みゆきが勤めていた旅行会社がコロナの影響で倒産したことを桃子に報告したり、第8話ではハローワークに通っていて、みんな悲しい顔で不安そうで、ちょっとキツいと話したりして現実を感じさせてもいます。行きつけの店や場所の描き方の参考にしてみてください。

※『姉ちゃんの恋人』2020年10月期のフジテレビ系列火曜21時枠　脚本:岡田惠和　キャスト:有村架純、林遣都、奈緒、高橋海人ほか

『にじいろカルテ』

「男のくせにって言いました、わーい！」

紅野真空（高畑充希）が主人公の『にじいろカルテ』は、難病を抱えた真空が虹ノ村の診療所で内科医として住み込みで働く姿が描かれます。診療所には外科医の浅黄朔（井浦新）と看護師の蒼山太陽（北村匠）もいて一緒に生活しています。

▼女のくせに／男のくせに

第2話、真空が朝、起きてくるとキッチンでは浅黄と蒼山が朝食を作っていて「そっかあ、ダメか。今日こそ一番かなと思ったけど」と言うと、蒼山に「俺もいま起きたところです」と返されますが、浅黄には「俺は2時間前に。で、この野菜収穫してきてマヨ和えを作り終わったところだ」と言われます。

蒼山が「そういうところだと思いますよ」「いちいちいちいちいち、自己主張っていうか、俺やってます感、アピールする、その感じ、それが、あれだって話です」と言うと、「あれって何だ？　あ、好きってことか」と浅黄に返され、「いや、違うわ」と突っこみます。

浅黄に「これ切っといて」と言われて、真空がジャガイモを切り始めます。

蒼山と浅黄のやりとりの後、浅黄が真空のジャガイモの切り方に気づきます。「ひでえなあ、お前、これ」と切られたジャガイモを手に取って「守ってやれなくて、ごめんな」と謝ります。「ちょっと、お前さあ、それでも、お前……」と真空に言いかけます。

真空が「あ！　あの、それでも女かよとか女のくせにとか言われたら私、ちょっとキレちゃうかもしれないので」と立てかけてあった棒を手に取り、「もしかしたら殴っちゃったりするかもしれないので」と浅黄と蒼山に迫ります。「料理が下手なのは私個人の問題で」と逃げまわる浅黄と蒼山を追いながら、「女っていう属性は関係ないので」「私もね、おふたりに対して男のくせにとか、それでも男かよとか言わないので」「とにかく私、なになにのくせにみたいなの本当に嫌いなんで」とまくし立てます。

すると蒼山が「素晴らしいと思います。賛同します。その通りだと思います」「看護師なのに男かよって言う目で、日頃、結構、見られるんで」「村に来た時、おっさんやら爺いズの、何かもう失望の顔？　見せたかったです。男かよ、白衣着た天使じゃねえのかよっていう」と話します。

そのあと、朝食を食べながら真空が「みんなで作った朝ごはん、美味しいですね」と言うと、浅黄に「大して役に立ってないだろ」と返され、思わず「いちいち細かいなあ、男のくせに」と言ってしまいます。浅黄が「あ！　言った今、言ったよねえ。うわー言った、言いました言いました、男のくせにって言いました、わーい」とはやし立てます。

▼キャラならではのリアクションやセリフ

主人公をラウンドキャラクターで描くことは以前にも書きました。この『にじいろカルテ』でいうと、診療所の診察室や往診など主人公の職場での姿が描かれます。虹の村唯一の食堂「にじいろ商店」が主人公の行きつけの店として描かれます。診療所の部屋で1人でいる時の主人公が描かれます。ちなみに浅黄や蒼山の部屋は描かれていません。職場、行きつけの場所、住まいを描いてラウンドキャラクターになります。

そこに加わるのが、この診療所のダイニングキッチンです。村民たちの目がなく、3人が**素の顔をさらけ出して本音でぶつかり合える場所**になっています。

それだけ3人が、お互いがお互いを困らせることができ、3人それぞれのキャラクターならではのリアクションやセリフを引き出すことができるのです。

よく、キャラクターを描きなさいと言いますが、キャラクターを描くというのは具体的には、このキャラクターならではのリアクションやセリフを描くということです。

さらにキャラクターの個性際立つリアクションやセリフが描ければ描けるほど、シーンが生き生きと弾んできます。

リアクションやセリフを浮かべるには、性格を考えてみてください。キャラクターって、いろんな要素があります。たとえば、行方不明になっている妹を探しているというのもキャラクターだし、かつてオリンピック候補といわれたスポーツ選手だったが怪我で引退したというのもキャラクターです。おそらく、皆さん、キャラクターって、こういうことを考えているんじゃないかと思います。でも、それだけではリアクションやセリフが浮かんできません。**リアクションやセリフを浮かべるには性格を考えてみてください。**

また、こんな時、自分ならどうするかな、どんなことを言うかなと考えてしまっている人も多いようです。それでは登場人物のリアクションやセリフが、みんな自分のリアクションやセリフになってしまいます。当たり前ですが登場人物が5人いたら5人それぞれ別の人間です。どんなリアクションをするか、どんなセリフを言うか、それぞれ違うはずです。こんな時、自分ならどうするかな、どんなことを言うかなと考えるのではなく、このキャラクター（性格）なら**自分と違って、どうするかな、どんなことを言うかな**と考えてください。

▼村人の一人一人を描き分ける

第8話、このダイニングキッチンで、村役場職員の霧ヶ谷桂（光石研）と緑川嵐（水野美紀）、霧ヶ谷の妻・氷月（西田尚美）、「にじいろ商店」の燈田雪乃（安達祐実）も一緒に朝食を食べることになります。

早朝、ベンチで寝てしまった蒼山が目覚めると、隣で見知らぬ男が心肺停止になっていて、警察に呼ばれた霧ヶ谷や、身元不明の男が行方不明になった夫ではと駆けつけた嵐と、嵐に付き添って氷月と雪乃も診療所にやってきたのです。

嵐が「もう、爺ちゃんが悪いんだよ」「爺ちゃんがミツオじゃないかって言い出すからさあ」と言うと、雪乃に「それで、お玉持って走ってきたんだ」と突っこまれ、「人間はね、そういう時、本当に訳のわかんない行動するもんだよねえ」と答え、みんなで笑ったりします。

身元不明男が、蒼山の買った缶飲料を死ぬ前に飲んだらしいことから、「俺がもっと早く気づいてれば」と言う蒼山に、浅黄が「やめろ、そういう考え方！」と遮り、「ああ、そうだな！」と舌打ちしながら「お前がもっと早く気づいたら、その人、死ななくて済んだかも知んねえなあ！　でも」と立ち上がり「それ言っても、どうすることもできねえだろ」と話し、その剣幕に、みんなが固まったり……。

そして、身元不明男がヤスダタケシではないかと、霧ヶ谷が思い出します。

霧ヶ谷は、タケシは親の仕事の都合で東京から来た奴で、住宅が近くで親や学校に面倒見ろと言われたが、タケシのことが嫌いだったことを話します。「特に俺は、あの当時の俺は東京が大っ嫌いだったんだよ。ハハハハハ」と笑います。「そしたら、また、あいつ引っ越すことになったんだよ。正直、俺、ほっとしたんだよ。あいつのこと苦手だったからさ。そしたらさ、あいつ、転校する前に俺んち来たんだよ、うん」と話しながら、また笑います。「本当にありがとうって。泣いてんだよ、友達は霧ヶ谷君だけだったって。大好きだったって。ビービー泣いてんだよ」と話しながら笑います。

どうして東京が大嫌いだったのかを、霧ヶ谷に代わって氷月が「この人のお母さん、家族捨てて出てったの、この人が12歳の時にね。で、東京行ったんだよね」と話します。「別れ際、この人にね、いつか必ず会いに来るからって、約束してさ、絶対会いに来るからって。東京は、この人にとって、お母さんを奪った場所っていうか、そういうものだから」その間も霧ヶ谷は、うんうんとうなずきながら笑っています。

ところが、このあと警察から身元不明男はタケシとは別人だと連絡が入り、何だったんだよとなります。

真空や浅黄、蒼山はもちろん、村の人たち一人一人それぞれのキャラクターが生き生きと、**一人一人違う人間として**描かれています。

もちろん、俳優さんの演技によるところもあります。しかし、その演技も、この人なら、どんな気持ちになって、どんな表情になるのか、どんなセリフの言い方になるのか、などなどシナリオに描かれたキャラクターが基になっていることを意識してみてください。

※『にじいろカルテ』2021年1月期のテレビ朝日木曜ドラマ　脚本：岡田惠和　キャスト：高畑充希、井浦新、北村匠海、安達祐実ほか

『最愛』
「お前やないってこと、俺が証明する」

互いに想いを寄せ合っていた主人公の真田梨央（吉高由里子）と宮崎大輝（松下洸平）が15年後、殺人事件の重要参考人と刑事として再会する『最愛』は、事件の謎を解くミステリーサスペンスと梨央と宮崎のラブストーリーが複雑に絡み合うドラマです。

▼本音あふれる方言

第2話、梨央が帰宅途中に買ったスイーツを食べながら夜道を歩いていると、不審な車に襲われそうになります。その時、梨央を待ち伏せしていた宮崎が梨央を引き寄せ、助けます。その拍子にスイーツのクリームが宮崎のシャツにベッタリとくっつき「うわ、何で物食いながら夜中に歩いとるんやさ」と**思わず飛騨弁**が出ます。「家帰って食べようと思って買っただけや」「食べとるやろ」「甘いもん欲しくて、ちょっと食べただけや」と一瞬、15年前の2人に戻るのですが、すぐに2人は標準語に戻ってしまいます。

第3話、病院のベンチに座る梨央と向かいに立つ宮崎が話をするシーンでも、宮崎が梨央の隣に座り「ずっと、どうしとるんか気になっとった」と見つめ合います。

第4話では梨央を監視していた刑事たちが梨央を見失い、宮崎が応援を頼まれます。1人でビールを飲む梨央のところに宮崎が来て、ビールを飲み終わるまで2人は世間話をし、思い出話に笑ったりもしますが、標準語です。

店から警察車へ向かう途中「大ちゃん、私やっとらんよ。渡辺昭さん、殺しとらん」と言う梨央に、宮崎は「信じるよ。お前やないってこと、俺が証明する」と答えます。

そして第5話、梨央の異母弟・朝宮優（高橋文哉）が殺人事件の容疑者とされ、梨央は優と飛騨高山に逃げます。その2人を宮崎は同僚刑事と尾行します。

梨央と優は父親のパソコンに、父親が15年前の殺人を告白する動画を見つけます。

梨央と優に気づかれ宮崎は、「久しぶりやな」「心配しとったんやぞ。無事でおってくれって思っとった」と声をかけます。父親の告白に「お父さん、嘘ついとる。刺したのは俺や」と叫ぶ優に、宮崎は「言わんでええ」と声をかけます。さらに「公園で、あの人のお父さんをやった……」と言いかける優に「姉ちゃんの前で言わんでええやさ」と遮ります。

宮崎は「俺は、お前と姉ちゃんが好きやった。2人が困ったら、いつでも駆けつけるって思っとった。何もできんかったなあ」と優に近寄ります。梨央は「優を連れて行かんで」と頼みますが、宮崎は身をかがめ座っている優と視線を合わせ「優、今度は必ず力になる」と見つめます。梨央は「ずっと離れ離れやったんやよ」と優と宮崎の間に割りこみ、「優、優のために薬作ったんやよ。幸せになってほしい……」と立ち上がって宮崎のほうへ進もうとする優を押しとどめようとします。

優は「俺、逃げんて決めたんや。姉ちゃん、ここまで一緒に来てくれて、ありがとう」と一歩踏み出し、それを宮崎が受け止めます。優が「やっと会えたんや。忘れたくないわ」と言うのを梨央は涙を流し呆然と見つめます。

▼方言も使い分けで葛藤も表現

飛騨弁になって梨央と宮崎の距離が縮まったかと思うと標準語に戻って離れ、また飛騨弁になると、どうする？　どうなる？　と2人に引きつけられ目が離せなくなっていきます。**標準語と飛騨弁によって梨央と宮崎の建前と本音の葛藤が描かれている**わけです。

方言の使い方として、かつて大家族ホームドラマが流行っていた頃、お手伝いさんの役が必ずあって、この人がお手伝いさんですよと一発でわからせる方法としてセリフを方言にしたという話を聞いたことがあります。

ぽろっと方言が出て登場人物の意外な一面が表れたり、方言でやりとりさせることで実は同じ地方出身の先輩後輩だったなどの**人物関係を伝えたりもできます**。

基本的な書き方としては、セリフの中にかっこト書きで（～弁で）と書くか、ト書きに、○○（役名）のセリフは以下すべて～弁で、などとして、セリフそのものは標準語で書いても、方言指導のスタッフがついて俳優さんは方言で喋ってくれます。

ただ、コンクールのシナリオでは、せっかく方言を使うのであれば、できればセリフそのものを方言で書いたほうが雰囲気や独特の味が、より伝わりやすくなります。

自分がよく知らない方言を使いたい時は、標準語で書いた文章を方言に翻訳してくれるサイトもあるようですが、使い方のニュアンスなど不安になるので、おすすめは、その地方出身の知人を探し見てもらうことです。

自分の出身地の方言を使う時に注意してほしいのが、**全国の観客や視聴者が聞いてわかるようにすること**です。あまりに実際の方言に忠実にしようとしすぎて、ほかの地方の人が聞いて何を言っているのかわからなくならないようにしてください。逆に、方言でまくし立てられて何を言っているのか、さっぱり理解できないみたいな使い方もありますが、そんなシーンばかりで観客や視聴者の観る気が失せてしまっては本末転倒です。

自分が書いたセリフを方言にしようとすると、いかに文章の会話文のようなセリフになってしまっているかに気づく効果もあります。**方言にすることで、その人が、その時、その場にいて喋っているかのような生き生きしたセリフに変える**ことができます。方言にしたセリフを標準語に変えると、元のセリフとは見違えるようになっているはずです。

▼伝えるため考え抜かれた技術

『最愛』の第6話以降、宮崎と梨央や優とのやりとりは、すべて飛騨弁になります。

そんな宮崎が、普段は標準語を使っているはずの相手に思わず飛騨弁が出てしまうシーンがあります。最終話、宮崎は、殺人事件とつながっていると思われていたが事故死とされた女性の死亡推定時間が、2~3時間ずれる可能性があることを突き止めます。

その時間にアリバイがない関係者は1人。しかも、その時間の現場周辺の防犯カメラに、その人物と思われる姿が確認されます。

宮崎は、その真犯人(ネタバレになるので人物名は伏せます)に電話をかけます。「宮崎です」と名乗ると真犯人は「ご無沙汰しています」と答えます。ここでは、まだ標準語です。

まず、15年前の死体遺棄事件について尋ねます。真犯人は、梨央の父親のことを「あれほど家族を思う人を私は他に知りません」と答えます。そして、回想シーンで15年前、梨央の父親の死体遺棄に真犯人が関わった真相が描かれます。

しかし、真犯人は、死体遺棄が行なわれた2006年9月21日深夜に岐阜にいなかったと答えます。

2021年8月3日夜に起こった殺人事件のアリバイを尋ねると、真犯人は自宅にいたと答えますが、やはり回想シーンで真犯人が犯行に至る真相が描かれます。

2021年10月21日18時から19時の間、転落死した女性と会っていましたねと尋ねると、真犯人は「いいえ」と答えますが、回想シーンで真相が描かれます。「用件は以上ですか」と言う真犯人に、宮崎は「何で一線を踏み越えた。踏み越えてまったら戻ってこられんやろ」と**思わず飛騨弁**になります。さらに「戻るつもりはありません」と言う真犯人に「2人にとって、お前がおらんくなることがどういうことかわかっとるんか」と叫ぶのです。

おそらく『最愛』は観たけど、ここで宮崎が方言になっていたのに気づかなかったという方も多いでしょう。実は私も最初に観た時には気づきませんでした。しかし、方言になったことを頭で理解していなくても、宮崎の刑事という立場を越えた強い想いは感じていたと思います。少なくとも俳優さんは方言になっていることを理解し、そこにこめられた想いを伝えようと演じてくれます。

よく、上手くなくていいから想いをガツンとぶつけてほしい、みたいなことが言われたりします。技術を超える感動みたいなことも言われます。しかし、実は想いが届いたり、感動が生み出されるには、**気づかれないかもしれないけど、考えに考え抜かれた技術**が、確かにそこにあるのではないかと思います。

※『最愛』2021年10月期のTBS系「金曜ドラマ」 脚本：奥寺佐渡子、清水友香子 キャスト：吉高由里子、松下洸平、田中みな実、薬師丸ひろ子、光石研ほか

『モコミ～彼女ちょっとヘンだけど～』
「いいお兄ちゃん、それが俺の役」

『モコミ～彼女ちょっと変だけど～』の主人公・清水萌子美（小芝風花）は、草花や樹木、ぬいぐるみ、ねじ、ガラス窓などのモノの気持ちがわかり、話ができます。

子どもの頃、花と話をしていて、男の子たちに「うわ～萌子美が花と喋ってる」「キモ」などと言われ、突き飛ばされたりしていると、「萌子美！」と走ってきて男の子たちを蹴散らし「大丈夫か？」と心配してくれたのが兄・清水俊祐（工藤阿須加）です。

俊祐は、父方の祖父が営んでいた生花店を引き継ぎ、店長として常連さんの長話に愛想よく付き合ったりして人が良いと評判です。

ケガをして病院に運ばれた萌子美を車で迎えに行ったり、バイト先の工場の汚れた窓ガラスが泣いているのが気になり、萌子美がバイトを休んでしまうと、母方の祖父・須田観（橋爪功）と工場へ行き、窓ガラスを掃除したりと妹思いでもあります。

萌子美がバイト先の工場を辞めてきて、俊祐の生花店で働きたい「昔から、ずっと好きだった場所だから」と話した時も、「萌子美、ごめん。あ、ごめん、ごめんって、あの、働くのがダメってことじゃなくて、あんまり持たないって教えてくれた赤いバラのこと、俺、本当は、あんまり信じてなかった。でも本当に持たなかった。ごめん」と謝り、「いいよ、うちの店、来て」と笑顔で受け入れます。

生花店の店員で、俊祐の恋人でもある依田涼音（水沢エレナ）に、「萌子美が自分から何かやりたいって言ったの初めてだったから」と話し、涼音に「前にさ、妹は俺が守らないと、って言ってたけど」「どういう意味？　全然、普通に見えるけど」と尋ねられ、「いや、普通なんだけど、学校行ってなかったりして、あんまり外の世界っていうか人に慣れてないから」と答えます。

とにかく、いい兄です。

▼SNSで憂さ晴らしをする〝いい兄〟

ところが第4話、初めて萌子美が作ったアレンジメントが評判が良く、母親の清水千華子（富田靖子）に「でも、こういうのってビギナーズラックって言うんじゃない？　ねえ」と言われた時も、「そうだったとしても、萌子美、頑張ってるから」と笑顔を向けていたのですが、自分が作ったアレンジメントを持っていくと、萌子美が作ったアレンジメントのように作ってほしいと言われてしまいます。生花店に帰ると涼音や他の店員が、萌子美のアレンジメントをベタ褒めしています。涼音に「見てください、これ」と萌子美のアレンジメントを見せられ

「うん、いいね」と何とか笑顔を作ります。

閉店後の誰もいなくなった暗い店内で1人、俊祐は「いい人」という裏アカウントでSNSに「クソ」「みんなクソ」とつぶやきます。須田のことを「元教え子と不倫w」、千華子のことを「人に迷惑かけるなと言い、一番迷惑かけてるやつw」、父親のことを「不倫したくてもできないやつw」などと投稿し、憂さを晴らします。

▼秘密を持たせると愛すべき人物に

ちょっと想像してみてください。

いつも通勤通学や買い物などで通る道に交番があるとします。いつも通っているので、お巡りさんの顔を何となく覚えています。ある夜、コンビニに行くと、お巡りさんの1人が私服で周りをキョロキョロうかがいながら、エッチな本を立ち読みしているのを目撃します。次の日、交番が近づいてくると、あのお巡りさんがいるんじゃないかとワクワクしちゃいませんか？

お巡りさんとエロ本の法則と呼んでいるんですが、人前では見せない姿や誰も知らない秘密を自分だけが知っているとなると、その人物がグッと身近になって引きつけられるわけです。

秘密、好きでしょ？　大好きですよね。**登場人物に秘密を持たせると観客や視聴者にとって魅力あるキャラクターになります**。誰しも少なくとも1つや2つは秘密を抱えているはずです。

おそらく、まったく秘密なんてないよという人は、いないでしょう。あなたのシナリオの登場人物も、きっと秘密を持っているはずです。どんな秘密を抱えているんだろうと、ぜひ考えてみてください。

さらに、普段は制服のお巡りさんや妹思いのいいお兄ちゃんが、エロ本を立ち読みしていたり、ＳＮＳで毒を吐いていたりすると、より強く引きつけられるのです。いつも下ネタばかり言っている人がエロ本を立ち読みしていても、あ〜あ、またあんなことしてるって感じです。

普段の姿と秘密に**ギャップがあればあるほど意外性がある**わけです。ギャップと意外性、これも魅力あるキャラクターのポイントになります。

ただ、普段の姿と秘密が、あまりにかけ離れていると観客や視聴者が、この人は一体どんな人なんだろうと混乱してしまったりもします。たまに、普段は几帳面な性格なのに部屋が散らかっていて「どうして部屋が散らかっているの？」と質問すると、「二面性です」と答える人がいたりします。これでは観客や視聴者は混乱するばかりで、この先を観たくないと思われてしまうかもしれません。

これが、たとえば普段は人目を気にして細かいところまで気を使いすぎていて神経を使い果たし、家に帰ってひとりになるとタガが外れ一気に気が緩んでしまうとなると、その気持ちわかるなあとなって観客や視聴者は受け入れやすくなります。

『モコミ〜彼女ちょっと変だけど〜』の俊祐も普段は良いお兄ちゃんなんですが、**優しすぎる性格**で相手に合わせて我慢したり、言いたいことが言えなくて溜めこみすぎて、ついにＳＮＳ

に毒を吐くようになってしまうわけです。いいお兄ちゃんだけだと面白みのないキャラクターですが、この**秘密を持たせること**で俄然、愛すべき人物になり、目が離せなくなります。

▼表と裏のギャップをプラス

第5話、街の情報誌に生花店を掲載することになり、涼音が「どうせやるなら、お店、リニューアルしたらどうですか？」「お店の雰囲気変えたらどうかなあって」「萌子美ちゃんが全部、ディスプレイする」「こんな小さなアレンジメントでも萌子美ちゃんの世界が詰まってるじゃないですか」と言い出します。俊祐は「リニューアルのこと、ちょっと考えてみるよ」と答えます。

閉店後、2人きりになると涼音が「ねえ、リニューアル考えておくって、どういうこと？考えるまでもなく、やるでしょ？」と言ってきます。「うちの店、おじいちゃんの代からのお客さんが多くて、この店に親しみを持ってくれてて、その親しみが売りでもあって」と答えますが、「その昔からの高齢のお客さんが亡くなったら？　どうなるの？　このお店に将来はあるの？」と言われ、「わかってるよ、そんなこと」と言うと「じゃ何にこだわってるの？」と畳みかけられ、「やるよ、リニューアル」と言ってしまいます。

俊祐はＳＮＳに「うっせえ、うっせえ、うっせえ。嫁でもないのに嫁さん面すんな。うっせえよ！」とつぶやきます。

第6話、萌子美は俊祐のスマホから黒い煙のようなものを感じて手に取ります。そこには萌子美が手がけたリニューアルが大好評なのに、「全然心地よくない、クソ、クソ、クソ」と俊祐がつぶやいたSNSがあるのに気づきます。

萌子美が想いを寄せる岸田佑矢（加藤清史郎）が遊びにきた夜、自分の考えを周りに流されず貫き行動する岸田の姿に、つい苛立った俊祐は、萌子美に「お兄ちゃん」「大丈夫？」と声をかけられ、「いま大丈夫って言った？」「それ、俺のセリフだけど」「昔からイジメられた萌子美を大丈夫って心配する、いいお兄ちゃん、それが俺の役。おじいちゃんの花屋を継いだ家族思いで地元のお年寄りから人気の花屋の店長、それが俺の役。全部、役だから！」と言い、「わあああ！」と叫んで、ついにキレて家出します。

とはいえ、2日で家に戻ってきた後は、毒を吐くキャラに変身しますが、萌子美が花やモノと話せなくなった時に、自分がキレたせいではないかと心配するなど、相変わらずの優しすぎる性格がにじみ出てしまい、愛らしい人物であることに変わりはありません。

特に、**いい人しか描けないと悩んでいる人**は、ぜひ登場人物に表と裏のギャップをプラスしてみてください。

※『モコミ～彼女ちょっとヘンだけど～』2021年1月期のテレビ朝日系列土曜ナイトドラマ30分枠　脚本：橋部敦子　キャスト：小芝風花、工藤阿須賀、加藤清史郎、水沢エレナほか

『和田家の男たち』

「すぐに片付けなかった僕が悪いんだから」

ネットニュース記者の和田優（相葉雅紀）が主人公の『和田家の男たち』はホームドラマです。コロナ禍で会社が倒産しフードデリバリーをしていた優は、カツカレーを届けた時に、熱中症で倒れた和田寛（段田安則）を助けたことから、優の義父の和田秀平（佐々木蔵之介）、そして秀平の父親の寛と一緒に暮らし始めます。秀平はテレビのニュース番組プロデューサー、寛は元新聞社社長で現在は論説委員という三世代マスコミ一家です。

優は毎日、丁寧に手料理を作り、掃除をし、帰りの遅い秀平にはおつまみまで用意します。おつまみには「お父さん、仕事お疲れ様」というメモまで添えられています。

▼角を立てず、逆らわず、穏便に済ませたい

第2話では「話がつまらない」とフラれた元カノの結婚式で、優は戸倉ほのか（宮澤エマ）と出会います。グイグイと積極的なほのかは、小笠原伯爵邸での2度目のデートで「ここでキスしたら誰かに見られそうでドキドキしない?」と優のマスクを取りキスします。さらに「キ

スだけじゃやだ」と言います。優は何も言えません。「私はキスだけじゃつまんないって言ってんの」「黙ってるのズルくない？」と顔を離します。「あ、あの、僕は、少なくても、あと3回くらいは普通にデートして、手とかつないで、それからキスして、それから、それからって考えてたんですけど」と優が答えると、「わかりました」と言って立ち去ったきり、メッセージに既読さえつかなくなります。

悶々とする優ですが、寛や秀平に背中を押され、退社するほのかを待ち構え、「小笠原伯爵邸でいきなりキスしてきたのは、どういう意味だったんですか？」「僕は今まで角を立てたりすることはいけないことで、何となくみんなが流れていく方向に逆らわないように生きてきました。それが人間の誠意だと思ったからです」「話がつまらないとフラれた時に、どこがどうつまらないのか、もっと詳しく聞いておけばよかったと思うんです。それができなかったのは、僕が物事を穏便に済ませたほうが人としていいことだと思ってたからで、でも実は、もっと傷ついても本当のことを知ったほうが成長できたんじゃないかと思うんです」と話します。

すると「じゃあ言います。キスしたのは優くんが私を、どう思ってるか知りたかったから。メールを無視したのは、つまらない退屈な人間だとわかったから。もういらないと思ったから」「知りたいこと知れて良かった？　そうでもないでしょ」とほのかに言われます。優は「いえ、知りたいことが知れて良かったです。ありがとうございました」と頭を下げるのです。

そして「これ、ほのかさんに使ってもらいたくて。僕が刺繍したんです」とほのかのイニシャル入りハンカチを渡します。「これ、優くんが刺繍したの？」と、ほのかは見つめますが「そういうとこが無理」と返されてしまいます。

▼性格からセリフやアイデアが浮かぶ

シナリオで一番たくさん書く言葉は、主人公の名前です。

ト書きに人物の配置や動作を書くたびに誰のト書きなのかを書きますし、セリフの上には必ず、そのセリフを言う登場人物の名前を書きます。基本的には主人公を描くことが最も多くなるので、主人公の名前を一番たくさん書くことになるわけです。

主人公の名前がキャラクター、特に性格にイメージぴったりだと、名前を書くたびに性格が刻みこまれていきます。それだけ、この性格ならではのリアクションやセリフが浮かびやすくなります。

これまで何度か述べていますが、キャラクターを描くというのは、キャラクターならではのリアクションやセリフを描くということです。キャラクターには、いろんな要素があります。たとえば行方不明の妹を探しているというのもキャラクターですし、かつてオリンピック候補と言われたスポーツ選手だったが怪我で引退したというのもキャラクターです。でも、たとえば行方不明の妹を探しているキャラクターならではのリアクションやセリフって、浮かびますか？　全然、浮かんできません。リアクションやセリフが浮かびやすいのが性格なのです。真面目な性格とか、負けず嫌いな性格とか。ほら、リアクションやセリフが浮かぶでしょ？

なので、**主人公の性格にイメージぴったりな名前**をつけると、主人公ならではのリアクションやセリフが浮かびやすくなるのです。

主人公ならではのリアクションやセリフが描ければ描けるほど、今まで観たことがないシーンにもなりますし、共通性（観客や視聴者が自分と同じだなあと思うダメなところや弱いところ）も伝わって、観客や視聴者が感情移入してくれるようになります。

また、性格にイメージぴったりな名前をつけられれば、キャラクターのイメージが、よりはっきりくっきりするので、**「困らせ方」のアイデア**も浮かびやすくなります。主人公を困らせれば困らせるほど、観客や視聴者は、どうするんだろう？　どうなるんだろう？　と引きこまれるので、より面白いシナリオが描けるようになります。

ただし、尾人好子とか泡手節勝みたいなダジャレ名前は、やめたほうがいいです。ふざけていると思われたり、安易な印象を持たれてしまいます。

▼たかが名前、されど名前

『和田家の男たち』の主人公の名前は和田優です。**温和で優しすぎる性格のイメージにぴったり**です。たとえば第4話、寛の別れた恋人がよりを戻そうとして、「応援していただけないでしょうか」と頼むと、「応援します」と即答して、秀平に「よく言えるな」「雰囲気に流されすぎ」と呆れられます。

飲み会で寛が割ったグラスを秀平が踏んで怪我した時も「すぐに片付けなかった僕が悪いんだから」と謝ります。

第5話では歩いていてマネキンにぶつかり「あ、すみません」と謝っているところを女子高生に見られて笑われます。

第6話では、寛の恋人がアメリカから帰国し、自宅で自主隔離中で買い物にも行ってないので、煮込みハンバーグや鮭の南蛮漬けなど何種類ものおかずを作って保存容器に詰め、「温め方、それぞれ書いといたから」と言って、おにぎりと一緒に寛に持たせ届けさせます。秀平に「隔離期間中、それずっとやるつもり?」と言われ、「そうなのかな?」と尋ねると「そうなるだろ」と答えが返ってきて「ま、僕、料理作るの好きだから。お父さんとお母さんにも、ずっと作ってきたし」と笑顔を見せます。

今まで取材を受けたことがない町中華の店を探していた優は、寛が駆け出しの頃に毎日通った冷やし中華しかない店を教えてもらい取材に訪ねます。

女性の店主が一人、てんてこ舞いになっているのを見て、水を出したり、注文を取ったり、食器を下げたり、手伝い始めます。結局、エプロンと三角巾で閉店時間まで手伝います。

数日後、その女性店主から「助けて」と電話があり、駆けつけると店で倒れていた女性店主を病院に連れていきます。病院に女性店主の妹が現れます。その妹がワイドショーや週刊誌で話題になっている失踪した女性実業家だったのです。優がネットニュースの記者で、冷やし中華の店を取材させてもらったと名乗ると、「あんな店まで私のことを追いかけてきたの」と誤解され、「私の問題に姉のことを巻きこまないでください」「お引き取りください」と言われてしまいます。

立ち去り際「無事で良かったです。ワイドショーとか見てると心配だったんで。僕だってそう思ったんだから、旦那さんは、もっと心配してるはずです。無事だってことだけでも連絡してあげてください」と話し、背中を見せたままの女性実業家に「すみません、失礼します」と頭を下げ去っていきます。

いかにも「和田優」ならではのリアクションやセリフが描かれています。たかが名前、されど名前。主人公の名前のつけ方って、実はシナリオを面白くするための重要なポイントだったんです。

※『和田家の男たち』2021年10月期のテレビ朝日系金曜ナイトドラマ　脚本：大石静、荒井修子　キャスト：相葉雅紀、佐々木蔵之介、段田安則、小池栄子ほか

創作のお悩み相談２

Q なかなか個性的な主人公になりません。

A オモテとウラ、二面性があるような
キャラクターを考えて
みてください。

ふだんおなしい人物が、日曜日になるとぶっ飛んだダンスチーム
のリーダーだったり……。「秘密」をもたせると、より魅力的に
なります。

85　『和田家の男たち』

Ⅱ　主人公を困らせるキャラクターをプラス

『アンナチュラル』
「素人はダメだ、刺す場所をわかっていない」

▼永遠の問いに答えを出したい

不自然死究明研究所（UDIラボ）に、溺死した女性の死体が運びこまれます（第5話）。解剖を依頼したのは、女性の夫を名乗る鈴木巧という男。女性が海に飛び込むところを目撃した人がおり、警察は自殺と判断しましたが、妻が自殺するはずないと言うのです。

主人公の法医解剖医・三澄ミコト（石原さとみ）や同じく法医解剖医の中堂系（井浦新）たちが解剖を始めたところ、所長が飛び込んできて途中で止められます。

巧は、女性の恋人で同棲はしていましたが、夫ではありませんでした。遺族は解剖に反対だったため、遺体を盗み出して運んできたことがわかったのです。

遺体を遺族に戻し、ミコトとともに警察に事情を説明し、謝罪した所長は遺体番号は欠番とし、解剖はなかったことにします。

ところが中堂は、死因の究明を続けていました。遺体の肺を検査に出していたのです。そのことを知ったミコトは中堂を見つけ、「ご遺体、ちゃんと返したんですよね」と尋ねます。「あーそう言えば肺を体にしまい忘れたな」と中堂は答え、「オレは警察の奴らに遺体を綴じて返せと言われた。だから言われた通りに返した。だが、取り出した肺を体に戻せとは一言も言われていない」と屁理屈を言って、「現場の海水との比較が必要だな」と言い出します。

そして「まだ調べるつもりですか?」「納得のいく説明をしてください」と詰め寄るミコトに言います。「考えたことがあるか。永遠に答えの出ない問いを繰り返す人生。いま結論を出さなければ、もう二度と、この人物がどうして死んだのかを知ることはできない。いま調べなければ、永遠に答えの出ない問いに一生向き合い続けなければならない。そういう奴を1人でも減らすのが、法医学の仕事なんじゃないのか」と。

「そんなこと言われたらさあ……」とミコトは頭を抱えます。

中堂は、8年前に恋人を何者かに殺害され、犯人は今もわかっていません。誰に、なぜ恋人は殺されたのかという問いに、向き合い続けています。ミコトも、9歳の時に母親が起こした一家心中で両親と兄を亡くし、自分だけ生き残ったという過去があります。なぜ母親は家族を殺そうとし、自殺したのかという問いに向き合い続けてきました。

倫理的に多少問題があったとしても、誰かの一生を救えるなら目を瞑るべきなのかどうか、ミコトは葛藤します。そして、巧が永遠の問いに区切りをつけて、未来を向けるようにと中堂の真相究明に協力し始めます。

▼「困ったちゃん」がいると引き込まれる

この中堂のように、**主人公を困らせる人物を「困ったちゃん」**と呼んでいます。

主人公を困らせれば困らせるほど、観客や視聴者は、どうするんだろう？　どうなるんだろう？　と引きこまれます。だからと言って、「困ったちゃん」に、何でもかんでも主人公を困らせることをやらせればいいというわけではありません。**どうして「困ったちゃん」がそんなことをするのか、動機づけが必要**になります。

もちろん中堂が死因の究明をやめないのは、恋人を殺されたという過去から巧の気落ちが痛いほどわかるからです。しかし、それだけでは動機づけになりません。肺を戻さないのは犯罪です。そこまでして、どうして追求をやめないのか？

臨床検査技師の東海林夕子（市川実日子）は、中堂を「あんな面倒臭くて態度悪くてクレイジーな奴」と言いますが、中堂は決してクレイジーなわけではありません。

ミコトと記録員の久部六郎（窪田正孝）がトラックの荷台に閉じ込められ池に沈められ殺されかけた時、池の場所を特定して助けたのは中堂です。

解剖室に貼られた脅迫状が自分に当てられたものだと思っているミコトに、あれは自分に当てられたものだと、今まで受け取った脅迫状を見せて安心させたりもしています。

夕子が殺人の容疑をかけられ警察が来た時も、「死体に慣れているから人が殺せるだの何だの、訳のわからんクソでっち上げストーリーを密室で毎日毎日、念仏のように唱えられてみろ、クソほどの体力、気力、根性がないと挫ける」と話し、夕子を逃がしたりもします。

ただ中堂は、とにかく自分の思い通りにやりたいのです。思い通りにならない時に「クソ」「バカ」を連発し態度が悪くなるのです。

解剖室で刑事が自殺に誘導するようなことをグダグダ話していると、刑事の顎を手で押さえ「それ以上くっちゃべったら、自殺の遺体も他殺にするぞ」と黙らせようとします。

ミコトの代理で裁判の証人に立った時も「成分表を見ればバカでもわかる」「カビの生えた経験が何になる」と「バカ」を連発し、態度が悪くなるのも、自分はやりたくもないことをやらされているからです。

そして、中堂は**自分の目的のためなら手段を選ばないキャラクター**なのです。

第1話で、ミコトが証拠を得るために葬式で焼かれる寸前の遺体を解剖しなければならなくなった時、久部に偽造した解剖許可証を託し「これがあれば遺族の承諾なくても解剖することができる」と伝言しています。その用意周到さは、もしかしたら中堂自身、かつて偽造した解剖許可証を使ったことがあるのかもしれません。

裁判でミコトの代理で証人に立ったのは、自分の班についていた臨床検査技師にパワハラで訴えられ、その臨床検査技師に和解の条件をミコトが提示する、その交換条件だったのです。

中堂がＵＤＩで働いているのは、国内の不自然死のデータが全て集まるＵＤＩで、８年前に恋人を殺した犯人につながる情報を得るためです。なので、どうしてもＵＤＩを辞めたくなかったのです。

臨床検査技師に謝る気のない中堂に、ミコトが「じゃあ、もう辞めるしかないですね」と言うと、中堂は「俺はＵＤＩを辞めない。誰に何を言われようとな」と答えています。

自分の目的のためなら手段を選ばず突き進んでいくキャラクターだからこそ、肺を戻さず所長に内緒で溺死した女性の死因を究明しようとし、そこにミコトを**巻き込んで困らせる**のです。

▼「素人はダメだ、刺す場所をわかっていない」

第5話に戻ります。溺死した女性は、発見された場所で海に落下し亡くなったことがわかります。ということは、女性が海に飛び込むのを見たという目撃証言と矛盾します。

ミコトが警察に動いてもらおうとする一方で、そのことを中堂は、あえて巧に伝えます。そして、目撃者の老人に直接会ったが嘘を言ったとは思えない、証言を疑うより目撃者が見た者を疑うべきだ、誰かが自殺を偽装するために溺死した女性のふりをして落ちて見せたのだろうと付け加えます。

その中堂の話で巧は、恋人を殺した犯人を確信します。巧は、恋人が溺死した前日に婚約指輪の代わりにネックレスをプレゼントしたのですが、そのネックレスを恋人の同僚女性が持っていたのです。巧は恋人の葬儀に向かいます。そこに同僚女性もいます。巧はまっすぐ向かっていって包丁で刺します。

そこにミコトが駆けつけます。同僚女性に馬乗りになり、もう一度、刺そうとする巧を必死に止めます。巧は一瞬、動きを止めますが、大きく包丁を振りかぶると同僚女性の背中に突き立てます。

ミコトは中堂の腕を取り、「どうして止めなかったんですか」と詰め寄ります。中堂は「殺す奴は殺される覚悟をするべきだ」と言い、「そういう話をしてるんじゃない」「人を殺させて……」と言いかけるミコトに、「思いを遂げられて本望だろう」と答えます。

しかし巧に刺された女性は一命を取り留めます。久部は、巧に人なんて殺してほしくないと喜び、ミコトも「うん、そうだね」「そうだよね」と涙を流します。

ところが刺された女性が助かったことをミコトに伝えられた中堂は、「素人はダメだ、刺す場所をわかっていない」と言い放ちます。

あなたのシナリオにも、中堂のような主人公を困らせる人物を登場させてみてください。どんなキャラクターなら、どんな行動をし、どんなセリフを言って主人公を困らせるのか考えてみてください。

※『アンナチュラル』２０１８年１月期のＴＢＳ系金曜ドラマ　脚本：野木亜紀子　キャスト：石原さとみ、井浦新、窪田正孝、市川実日子、薬師丸ひろ子、松重豊ほか

『今日から俺は!!』

「ごめんな、俺もなかなかの卑怯者なんだよ」

▼揉め事もってくる人が大好き

『今日から俺は』の第3話、ツッパリしかいないと言われる開久高校の1人が、紅羽高校の今井勝俊（仲野太賀）と喧嘩になり、今井にやられてしまいます。開久のナンバー2・相良猛（磯村勇斗）は仲間を引き連れ、今井を探します。やられた奴を思ってのことではありません。開久の取り巻きは「あの人は揉め事持ってくる奴が大好きなんだよ」と言います。

今井が現れると「こんなとこじゃ何だからよ、ちょっと付き合えよ」と狭い路地に。今井に先頭を歩かせ、相良は「しかし、こっちは4人もいるのに、のこのこついてきやがって、あんた相当、開久なめてんな」と言いながらついていきます。「喧嘩ってのはなあ、学校の名前でやるもんじゃねえ。この腕っぷしでやるもんだよ」と今井が答えている途中で、相良は後ろから角材で今井の頭を思い切り殴ります。「あーごめん、何かカッコいいセリフ言おうとしてたからムカついちゃって」と笑い、頭から血を流しダメージを受けている今井をボコボコにします。楽しくて仕方ないというような笑みを浮かべながら。

今井が気を失うと「おいおい、4人相手にしようとしてたのに、俺とタイマンでお終いかよ。紅高ってのは、もやしっ子が通う学校なんですか？ あ、それか、もしかして俺がものすごく強いのか」と笑います。ところが、その時、いきなり屋根の上から飛び降りてきた三橋貴志（賀来賢人）に蹴りを入れられ気絶してしまいます。

相良は復讐に燃え三橋を探します。三橋の通う軟葉高校の生徒を捕まえ、「そいつボコっとけば。何人か犠牲が出れば、あっちから出てくるだろう」と仲間に殴らせます。

それを止めに入ったのが成蘭女子のスケバン・早川京子（橋本環奈）です。京子は開久の下っ端を倒しますが、相良にはパンチを受け止められてしまいます。

と、伊藤真司（伊藤健太郎）が現れます。伊藤の前ではブリっ子のフリをする京子と、京子にデレデレの伊藤のコントのようなシーンがあり、2人は帰って行こうとします。

相良が「待てよ。てめえ軟高だよな。三橋って奴、知らねえ？」「あのクソ卑怯者がよお、この俺様に後ろから蹴り入れやがったんだよ。あのブタ野郎、グチャグチャにして人の道ってのを叩き込んでやろうと思ってさ」

と言うと、伊藤は「京ちゃん、パフェの喫茶店、先に行ってて。俺は、こいつをケチャケチャにしなきゃ」と京子を去らせます。

「軟高は面白い奴が多いねえ」と相良は京子を見送る伊藤を、またも後ろから角材で殴り「ごめんな、俺もなかなかの卑怯者なんだよ」と笑って、伊藤を殴る蹴るします。

どんなに痛めつけても立ち上がり向かってくる伊藤をビール瓶で殴ったり、たまたま現れた開久のアタマ・片桐智司（鈴木伸之）に「智司、俺にやらせろ」と言い、圧倒的にやられ倒れたままの伊藤の馬乗りになって「オラオラ、詫び入れろや」「土下座しろや。許してください、相良さまって言うんだよ」と執拗に殴り続けます。

と、京子が現れ、伊藤を庇って相良を突き飛ばします。

相良は京子を捕まえ、下っ端たちに「さっきやられた分の三倍にして返してやれ」「顔の形が変わるまでボッコボコにしてやれよ」と渡します。そして「やめてくれ、頼む」と言う伊藤に「どうすっかなあ。土下座して謝って、これから道で開久さまに出会ったら道の端で這いつくばるって約束しようか。ほらほら早く土下座しないと大事な彼女の顔が変形するぜ」と。さらに土下座した伊藤に「アンコール、アンコール」と手を叩きます。

相良は開久の取り巻きたちにも、「喧嘩は智司さんのほうが強えが、むしろ恐ろしいのは相良さんだ。智司さんと違って奴には仁義なんかねえからな」と言われたり、「ぜってえ敵に回したくない男だよ」「やり口が汚え上に、血も涙もねえ」と怖れられています。

▼目的のためには手段を選ばない

悪役を描くのが苦手だという人、多いです。

もちろん必ずしも悪役が出てこなくてもドラマを描くことはできます。

でも、こんな相良みたいな悪役が出てきたら、より盛り上がること間違いなしです。さらには悪役そのものの魅力で、観客や視聴者を引きつけることだってできるかもしれません。

コツは、目的のためには手段を選ばないキャラクターにすることです。

目的といっても大袈裟なものでなくて大丈夫です。相良の場合でいえば、喧嘩に勝ちたいが目的になります。そのためには、どんなことだってするわけです。

ここでちょっと面白いのが、主人公である三橋も相良と同じように喧嘩に勝つためには手段を選ばないキャラクターなのです。たとえば、この第3話で相良が伊藤に土下座させた後、三橋が現れ、さらに今井も加わって乱闘になりますが、寸前に相良は走って逃げ、三橋が追います。相良は物陰に隠れると鉄パイプを手にし「卑怯な野郎には卑怯な手でケリつけてやる。これなら一発で頭が血の噴水になる」と待ち構えます。

が、三橋が来ません。あれ？　と物陰から顔を出そうとすると、いきなり背後に三橋が現れ「卑怯さのレベルが違うんだよ！」と一発パンチでノックアウトします。「卑怯さのレベルが違うんだよ……すげえカッコよく言ったけど、全然カッコよくないよね。ヒーローのセリフではないよね」と三橋は所在なく立ち尽くします。

卑怯者の三橋と一本気な伊藤に対して、開久の卑怯者の相良、一本気な片桐は対称になっているわけです。三橋と相良の違いは、相良がツッパリではない生徒や女性にまで手を出すことでしょうか。

▼とことん卑怯な悪役ぶりが参考になる

なので、悪い人間を描くという意識ではなく、目的のためには手段を選ばないキャラクターを、**より際立たせるイメージ**で描いてみてください。際立たせれば際立たせるほど、一体何をしでかしてくるのか予想がつかなくなり、結果として魅力ある悪役になっていきます。悪役を描くのが苦手という方は、このキャラクターを際立たせるのが苦手な傾向があります。

リアルなシナリオにしたいからキャラクターを抑えめにしているんだという人もいるかもしれません。確かに実際の作品ではジャンルや題材によってキャラクターを抑えめに描くことはあります。ただ、キャラクターを抑えめにばかり描いているために際立たせる力がつかないのでは本末転倒です。キャラクターを際立たせることができれば、抑えることはいくらだってできます。手段を選ばないキャラクターを際立たせて、魅力ある悪役を描くことをきっかけに、悪役以外のキャラクターも際立たせることを身につけてみてください。

最終話、相良はついに三橋に思いを寄せる赤坂理子（清野菜名）と京子を人質にとり、三橋と伊藤を別々な場所に呼び出します。

京子を人質にとられ伊藤は手を出せず、開久の下っ端に袋叩きにされています。「三橋と伊藤、2人揃ったら無敵かもしんないけどなあ、1人だったらこんなもんよ。しかも、どっちにも女がいるとは、こんなラッキーなことはねえってよ。よーし、伊藤は任せた。何だったら殺してもいいぜ。いよいよ三橋を退治してくらあ」と相良は去っていきます。

理子が拘束されているところに、相良が「お待たせ。抵抗したら女殺すっつったら、このザマよ」と血まみれの三橋を引きずってきます。三橋にも手錠をかけると、真っ赤に焼けた鉄の棒を「さあ、絶体絶命だ。頼みの伊藤は助けに来れねえぞ。普通ならダメなとこだが、オメエならできる。何しろ天才の三橋貴志だ。オラ、さっさと俺をシメねえと女の顔が焼けただれるぜ」と理子の顔に近づけます。

「テメエ弱えから、そんな手しか使えねえんだろ、このゴキブリ野郎！」と叫ぶ三橋に、「がっかりだよ、三橋」とため息をつき、「そんな挑発で俺の気を引いたところで、時間稼ぎにしかならねえじゃねえか」と蹴りまくります。「すごいね、相良くん、こんな無抵抗な人間、いつまでもボコれて」と三橋に言われ、キレた相良は理子に「泣き叫べよ。そこの男が自分の無力さを痛感するようによ」と言いながら、再び焼けた鉄棒を顔に近づけます。

この後、三橋と伊藤の大逆転があるのですが、この相良の**とことん卑怯な悪役ぶり**、ぜひ参考にしてみてください。

※『今日から俺は!!』２０１８年10月期の日本テレビ系日曜ドラマ　原作：西森博之　脚本：福田雄一　キャスト：賀来賢人、伊藤健太郎、清野菜名、橋本環奈、仲野大賀、矢本悠馬ほか

『重版出来！』
「作家は雑誌の奴隷じゃありません」

▼『重版出来！』の登場人物たち

いきなり最終話のシーンを取り上げますが、三蔵山龍（小日向文世）の近代芸術文化賞マンガ部門大賞受賞記念パーティーの後、小料理屋「重版」で週刊バイブスの編集者たちが飲んでいます。

パーティーで三蔵山が30年続いた『ドラゴンシリーズ』に終止符を打ち、新しい漫画を書くと宣言したことが話題になります。「今からでも撤回させましょうよ。関係者に口止めすれば何とかなるでしょうよ」と言い出した安井昇（安田顕）に、五百旗頭敬（オダギリ・ジョー）は「させません」「俺が三蔵山先生の新しい漫画読みたいからですよ」と答えます。「な～！かっこいいことでございますね～！　漫画家の味方気取って、いつもいつも涼しい顔して」と返す安井に、壬生平太（荒川良々）が「それは違う！」と食いつきます。「五百旗頭さんなんて、こんな顔だけど必死なんだ。みんな必死で売り上げようとしているんだ。けど、できないんだ。特に俺は」と言い、編集長の和田靖樹（松重豊）に「だめじゃねえか」と突っこまれると、「漫画を愛してる。それだけじゃダメなのか？」と尋ねますが、安井に「ダメだ！」と一刀両断されてしまいます。

五百旗頭は「まあ、売り上げはないとねえ」と苦笑しつつ、「編集者に愛は必要ですよ。壬生さんは、いい編集者だと思います」とフォローします。

と、いきなり安井が「愛だあ？　愛なんてなあ」と泣き崩れます。五百旗頭が「安井さんはねえ、やり方が極端なんですよ」と言い、ボーダー柄の服しか着ない安井に「ボーダー以外も着ましょうよ」と突っこむと、「俺の魂だ！」と安井が答えます。

その後、安井と壬生が揉み合いになったことから、菊池文則（永岡佑）が「実は僕、巨人ファンです」と告白し、熱狂的タイガースファンの和田と取っ組み合いになります。２人を止めようとする編集部員で揉みくちゃになりますが、五百旗頭は１人、涼しい顔で飲み続けています。

そこへ営業部の小泉純（坂口健太郎）が駆けこんできて、主人公の黒沢心（黒木華）がデビュー前から担当してきた中田伯（永山絢斗）の単行本第一巻の重版が決まったことが知らされるのです。

▼「〜すぎる」人物たち

『重版出来！』の主人公は心です。なので、心の個性あふれるキャラクターが生き生きと描かれています。たとえば第4話で、持ち込みの電話をとった編集者が面接担当できると教えられ、自分のデスクに駆け寄ると素早く受話器を取ります。隣の壬生に「まだ鳴ってねえ」と突っこまれると「素振りです」と答え、何度も受話器を取る練習をします。**いかにも頑張り屋で一直線すぎる性格ならではのセリフとリアクション**です。

第8話では担当する新人・中田のネームが止まったと聞き「私、行ってきます」と走り出そうとして、五百旗頭に「向こうから何も言ってこない間は様子見たほうがいい」と止められます。

さらに主人公の周りの人物、たとえば週刊バイブスの編集者も一人一人、個性際立つキャラクターとして描かれています。

編集長の和田は**気分屋**です。タイガースが負けるとイライラし、さっきまで怒っていたかと思うと笑っていたり涙ぐんだり、役員との会議を大声と勢いで乗り切ったりします。

壬生は食べることが大好き。しょっちゅうデスクでカップ麺を食べていたり、晩ご飯を食べた後、ラーメンを食べに行ったりします。**自分の欲望に正直**な性格でしょうか。

安井は徹底的に**こだわりすぎる性格**。かつて売り上げが伸びなかった雑誌が廃刊になった経験から、今は徹底的に数字にこだわります。**洋服もボーダー柄**しか着ません。

菊池は地味で目立たないが、**黙々と我が道を歩いていくタイプ**。デビューから担当していた漫画家の担当を続けるため、会社を辞めてフリーの編集者になっています。

▼理性的でクールすぎる五百旗頭

そして、五百旗頭は**理性的でクールすぎる性格**です。好きな数字はゼロ。離婚歴があり、別れた妻に「あなたは、いつも理性的で、それが悲しい」と言われたことがあります。

第7話で警察から、心の娘が補導されていると電話がかかってきます。実は、かつて天才と言われたギャグ漫画家の娘が心の娘だと嘘を言っていたのですが、電話をとった安井は心に子どもがいたのかと驚き、菊池や壬生と「黒沢、結婚してたの？」「未婚の母かもな」「安井さん、聞いて」「菊池が聞けよ」「いや、隠してること聞きにくいでしょ。そういうの、壬生さんでしょ」と揉めます。その保留になったままの電話を五百旗頭が取り、「黒沢、お前、子どもいたのか？」と淡々と聞いてしまいます。

そんな五百旗頭でも感情的になってしまうことがあります。

第8話、高畑一寸（滝藤賢一）が宿敵『週刊エンペラー』に引き抜かれそうになります。高畑の大ヒット漫画『ツノひめさま』は、連載が取れずにいた新人の高畑と五百旗頭が一から考えた高畑のデビュー作でもあります。

会議室で「本人の意思なんて、どうでもいいですよ。脅してでも何しても、引っ張るだけ引っ張って書かせりゃいいんです」と言う安井と言い合いになります。「脅して書かせて何になるんですか」「金になる。ツノひめの売上考えろ」と言われ、「作家は雑誌の奴隷じゃありません。作家の才能は作家自身のものです」と珍しく強い口調で反論します。

かつて担当していた漫画家が、五百旗頭のことを「あいつは俺を裏切った。土壇場で俺の連載キャンセルして、ならエンペラー行くって言ったら、好きにしろと冷たくあしらわれた。俺は一生、五百旗頭を許さない」と話していることを知ります。

実は前編集長に連載を却下され、漫画家が企画ごと『週刊エンペラー』に移ると言い出した時、引き止めるのは漫画家のためにも作品のためにもならないと判断して、引き止めずに送り出そうと苦渋の決断をしたのでした。五百旗頭は足を止め、眼鏡を外して「全然伝わってねえ！」と声に出して叫んでしまいます。周りの通行人たちが驚き、振り向きます。五百旗頭は眼鏡をかけ何事もなかったように歩き出します。

最も感情が出たのは、高畑の恋人が会社に訪ねてきて、高畑がツノひめを大好きなことを聞かされた後です。会社を飛び出した五百旗頭は心に電話をして、高畑が『週刊エンペラー』の副編集長と会う場所を聞き、「止めろ」「今すぐ行くから」とタクシーを止めようとします。しかし、タクシーが捕まらず走り出します。

店に駆けこむと『週刊エンペラー』副編集長と向かい合う高畑に、「俺も好きです、大好きです」と息を弾ませます。「ツノひめが好きです。以上です。失礼しました」とだけ言って離れた席に座り、一気に水を飲み「これで思い残すことはない」と呟きます。

結局、高畑は引き抜きを断ります。副編集長が去った後、五百旗頭の前にきた高畑に「なに泡食ってんだ、らしくねえ」と言われ、「らしくなく走りました。女房に逃げられた時も走んなかったのに」と答えます。

感情が出ると言っても、この程度です。声を荒げたり激白したりはしませんし、ゴミ箱を蹴ったり何かを叩きつけたりもしません。

▼個性を持たせるとシナリオが見違える

漫画家も一人一人に個性を持たせて描かれています。

三蔵山は**クソ真面目**で、弟子たちにも週刊連載を持ったら3週分前倒しで進行しろと教えています。

高畑は、**いつも〆切ギリギリ**。**女好き**で、漫画賞も「欲しいに決まってんだろうが」と自分の気持ちを隠しません。

中田は自分の世界に閉じこもり**他人の気持ちを理解するのが苦手**です。そのため描く漫画は独特で、絵は下手。

ほかにも、**のんびり優しい**漫画家や**共感性が高すぎる**新人など、一人一人、それぞれ違う人間として生き生きと描かれています。

登場人物のキャラクター一人一人に個性を持たせて描けば描くほど、シナリオが見違えるように面白くなっていきます。

ただし、あくまでも主人公を最も魅力あるキャラクターとして個性を際立たせて描くことは押さえてください。また脇役が面白くなって主人公より脇役を描いてしまわないように気をつけてください。

※『重版出来!』　2016年4月期のTBS火曜ドラマ　原作：松田奈緒子　脚本：野木亜希子
キャスト：黒木華、オダギリジョー、坂口健太郎、荒川良々ほか

『これは経費で落ちません！』

「ちょっと待って。可愛すぎる！　殺す気か？」

石鹸メーカー・天天コーポレーションの経理部が舞台の『これは経費で落ちません』は、主人公・森若沙名子（多部未華子）が、社内トラブルを解決するドラマを一話完結で描いていきます。並行して沙名子と営業部の山田太陽（重岡大毅）の恋愛ドラマも描かれます。

▼経理ドラマと並行して恋愛ドラマ

たとえば第6話は、総務部秘書課の有本マリナ（ベッキー）による「特別枠」をめぐるトラブルがメインで描かれます。

マリナが地方旅館に納入した石鹸や化粧水などの売上を現金で入金しにきます。しかし、その旅館にマリナが出張したのが半年前であったことに沙名子が気づきます。

そのことを第6話から経理部に配属された麻吹美華（江口のりこ）も気づき、旅館に直接尋ねようとしますが、社長案件の「特別枠」なので、秘書課を通さず直接問い合わせるのは規則違反だと止められます。

それでも美華は、マリナの売上着服疑惑を総務部長に訴えます。

ところが、マリナが沙名子に誤送信したメールで、旅館の主人が入院していたため入金を半年待っていたことがわかり、マリナの疑惑は晴らされます。

このメールに沙名子は違和感を感じ、新発田部長（吹越満）に「まだ不審な点があります」『特別枠』に直接問い合わせをしてはいけないという規則は破りません。考えがあります」と訴え、相手の旅館に領収書を送ります。すでにマリナから領収書を受け取っていると旅館から連絡を受け、そこからマリナの着服とメールは偽装だったことが判明するのです。

これと並行して、第6話の前半で太陽が退社しようとする沙名子を「お腹空いてません？」と誘います。

2人で肉まんを食べながら、沙名子のグチを聞き太陽が笑います。「すみません、何か嬉しくなっちゃって。だって初めてじゃないですか、愚痴ってくれたりとか」と言い、「ごめんなさい、私……」と謝る沙名子に「何で謝るんですか。嬉しいんですよ、マジで」と明るく笑います。

その帰り道、話の流れから2人は見つめ合い、太陽が沙名子にキスしようとします。後ずさる沙名子、迫る太陽、さらに後ずさる沙名子、なおも迫る太陽。太陽が目を閉じ、いよいよキスかと思われた時、沙名子は太陽の腕をすり抜け走って逃げてしまいます。

2人は互いに避けるようになりますが、第6話の最後、沙名子が「この前はごめんなさい」

と謝り、太陽も「俺がごめんなさい、いきなり、あんな」と仲直りします。

そして、沙名子は目を閉じ唇を突き出しキス顔になります。太陽は微笑み、沙名子の頭を軽く叩きながら「ゆっくりいこう」と歩き出します。沙名子は太陽に追いつき自分から手をつないで2人で歩いていきます。

▼いい人でも困ったちゃんになれる

沙名子は経理のスペシャリストです。領収書などの経費処理で社の規定に則っていなければ、相手が誰であれ容赦なく修正を求めたり、受け取りを拒否、どんな細かい数字も見逃しません。好きな言葉は「イーブン」です。

ランチは弁当持参、退社後に社内の人と飲みに行くことはなくプライベートは1人で過ごすことに決めています。1週間の献立を決めて冷蔵庫に作り置きしています。

何ごとにもキチッとしていなければ気が済まず、それを乱されることを極力避ける**几帳面すぎる性格**です。

これに対して太陽は**素直すぎる性格**です。自分の気持ちに真っ直ぐに行動します。たとえば沙名子を「ランチしませんか?」と誘って「私、お弁当なんです」と断られても「じゃあ、やっぱりディナーですよね、何が食べたいですか?」と、**めげません**。

「ごめんなさい。会社の人とは、ご飯にいかない主義なんです。公私混同が嫌いなので」と言われても、「それでも俺は沙名子さんに自分を知ってほしいです」「山田太陽、平成2年8月28日生まれ、28歳、中高サッカー部、ポジションはミッドフィルダー、大学はサッカー推薦で入学しました」「血液型はO型、特技はバク転です」と大声で話し、周りを気にする沙名子に「わかりました」「一度ご飯に行きます」と言わせてしまいます。

そして「やったー！」とガッツポーズしながら階段から飛び降り、嬉しさのあまり踊ります。まるで小学生のように。

2人で食事に行きますが、沙名子に「1時間で帰りたいので」と言われ居酒屋へ行くと、そこに会社の人が集まってきて飲み会になってしまいます。それでも翌日「リベンジさせてください」「俺、沙名子さんの笑った顔も見てみたいんです」と言って沙名子に逃げられます。でも諦めません。屋上でお弁当を食べていた沙名子に「俺とお茶か食事、いつ行きますか？　今週ですか？　来週ですか？　いつなら空いてますか？」と迫って、またまた逃げられるのです。

主人公を困らせれば困らせるほど観客や視聴者は、どうする？　どうなる？　と引きこまれます。主人公を困らせる人物を「困ったちゃん」と呼んでいますが、第6話のマリナのような人物が「困ったちゃん」の典型例になります。いわば悪役です。この悪役を描くのが苦手という方が意外に多いのです。

そういう方に参考にしてほしいのが太陽です。太陽は悪役ではありません。むしろ、いい人です。それでも主人公を困らせる「困ったちゃん」になっています。

コツはキャラクター（〜すぎる性格）です。主人公の〜すぎる性格に対して、**どんな「すぎる」性格なら主人公を困らせる「困ったちゃん」になるのか**考えてみてください。

▼愛おしいのに「困ったちゃん」

第7話、沙名子は、経理部の先輩・田倉勇太郎（平山浩行）と既婚者の皆瀬織子（片瀬那奈）のキスを目撃してしまいます。

ショックでベッドに突っ伏していると、太陽が出張のお土産を持って訪ねてきます。

沙名子は「すごく尊敬してて信じてた人の、何ていうか、そうじゃない部分を見ちゃった時、どうする？」と太陽に相談します。「ものによるけれど基本、嬉しいかな」と答える太陽に、沙名子は「嬉しい？」と驚きます。

太陽は「この人も人間だったんだなあって。尊敬してたってことは何か凄かったってことですよね。その人に感動したってことでしょ？　感動して、何つうか、幸せにしてもらったってことですよね？　それってなくならないじゃないですか、何があっても。ずっと大事で、ずっと残るんじゃないですか。何があっても変わらない」と話します。

沙名子に「今、すごく、好きだなって思いました。私、あなたのことが」と言われ、太陽は「ちょっと待って！」と思わず立ち上がり、「急にぶちこまないで、爆弾」「俺だって好きです、沙名子さん」と沙名子の前に座るとキスしようとします。

「待って！」と沙名子に遮られ、思わず「すみません」と謝りますが、沙名子が背を向け唇にリップを塗ると「お待たせしました」と振り返る姿に、「ちょっと待って」と転げまわって、悶絶しながら「可愛すぎる！　殺す気か？」と叫びます。

そして、2人はキスしますが、太陽の言葉がメインのドラマにつながっています。

会社でレジェンドと呼ばれる留田辰彦（でんでん）が作る石鹸の品質が落ち、工場長はじめ周囲の人たちは、留田が若い女性社員・藤見アイ（森田望智）を可愛がるあまり仕事に身が入らなくなったためと誤解しています。

実は留田は高齢のため五感が鈍り「石鹸の声が聞こえなくなった」のです。アイには自分と同じ感覚があることに気づき、後継者として育てようとしているのですが、自分が石鹸を作れなくなっていることを工場長に打ち明けられません。このままではアイが他の工場に異動させられてしまいます。

沙名子は「私たちはあなたに安心や幸せをもらいました。それはずっと大事で、ずっと残ります。何があっても変わりません」と留田に話し、留田は天天マイスター授賞式のスピーチで自分は石鹸を作れなくなっていること、でもアイを後継者として育てるので安心してほしいと打ち明け、誤解が解けるのです。

『これは経費で落ちません！』は、沙名子や太陽、経理部や営業部などの登場人物が、とても愛おしく描かれています。特に第7話は留田やアイも、とても愛おしいキャラクターに描かれていながら、しっかり主人公を困らせている珠玉のドラマになっています。

※『これは経費で落ちません！』２０１９年７月期のＮＨＫドラマ10　原作：青木祐子　脚本：渡辺千穂、藤平久子、蛭田直美　キャスト：多部未華子、重岡大毅、伊藤沙莉、桐山漣、江口のりこほか

創作のお悩み相談３

Q　悪い人が描けません。

A　まず極端な人を考えてみてください。
ここでも「〜すぎる性格」を考えるといいでしょう。

「目的のためなら手段を選ばない過激すぎる女の子」とか、「主人公が勝てそうもない相手」とか、主人公を困らせたい時、登場させたいですね。

『地味にスゴイ！』
「校閲におしゃれもメイクも必要ありません」

▼校閲部の先輩、藤岩りおん

藤岩りおん（江口のりこ）は、『地味にスゴイ！』の主人公・河野悦子（石原さとみ）が勤める景凡社校閲部の先輩社員です。

第3話で同僚社員から好きな作家はいないんですか？　と尋ねられ「私は校閲に私情をはさみたくありませんので、好きだの嫌いだのといった感情は普段から封印するようにしております」と答えます。

ところが、小説家・四条真理恵（賀来千香子）のイベントにフリフリのロリータ風ファッションで現れ、悦子と遭遇、デビュー作から四条真理恵ファンだったことを認め、「私の青春は四条先生とともにあったと言っても過言ではありません。東大を出たのに景凡社なんかに入ったのも四条先生の担当になれるかもというかすかな希望を抱いたからですし」と白状して、悦子に「今、景凡社ディスったね」と突っこまれます。

そして、悦子が校閲を担当した真理恵の初校のゲラに付箋を貼ったことも認めます。付箋には本シリーズの前身となる18年前の作品とキャラクター設定の食い違いが指摘されていて、真理恵が感激したのでした。

悦子に「何で黙って付箋つけたりしたんですか？　意味のある指摘出したんだから、堂々と名乗ればよかったじゃないですか」と言われ、「名乗れば先生のファンであることが公になってしまいます。校閲者としては、どの作家に対しても、どの本に対しても公平な立場でいたいんです。だから、これまでも四条先生の担当にならないよう細心の注意を払ってきたんです」「正直な気持ちを言えば、私だって先生の作品を校閲してみたい。でもルールはルールですから」と言います。

景凡社校閲部には好きな作家は担当させないというルールがあります。作品に感情移入してミスをしてしまいがちという理由です。りおんは「ルールを破ってまで自分の欲望を押し通すのは私の主義に反します」と言い切ります。

しかし、りおんに真理恵の小説の再校ゲラが渡され、真理恵の指名だと言われます。悦子に「例の付箋が私ではなく同僚のものだって言ったら、じゃあ、その方に再校をお願いしたいって先生がおっしゃったんです」と言われますが、「私にはできません」と頑なに断ります。「でも、やりたいんですよね。やりたいならやるべきですよ、本に恋するメガネザルさん」と呼ばれ、珍しく動揺し「ワーワー」と大声を出します。「どうして、その名前を？」と尋ねると、真理恵が付箋を見てデビュー当時からファンレターをくれていた熱心なファンと同一人物だと気づいたのだと悦子に言われ、さらに「あの指摘は先生の作品を心底好きな人じゃないとできなかった指摘です。藤岩さんにしかできない校閲だったんです。なのにルールだからって他の人が担当するなんておかしいですよ」と説得されて、やっと「喜んでやらせていただきます」と再校ゲラを受け取るのです。

▼鍵になるのがキャラクター

プロデューサーに、どんなライターを求めていますか？　と質問すると、ほぼ必ず返ってくる答えが、**セリフが書ける人**です。もちろん、ただセリフが書ければいいのではありません。いいセリフが書ける人です。

でも、じゃあ、いいセリフって？　自分のセリフって、いいセリフ？

これって、なかなか難しいですよね。よほどヒドいセリフじゃない限りセリフの良し悪しってわかりにくいです。

よほどヒドいセリフって、どんなセリフかと言うと、たとえば「あなたは一家心中で家族を亡くし自分だけ生き残った圭子さんね」みたいなセリフです。いや、このセリフだって書いている本人はヒドいセリフだと気づかないかもしれません。というのは伝えたいことは、しっかり伝わっているからです。

逆に言えば、**伝えたいことが伝わるだけでは、いいセリフにはならない**ということです。

そもそもセリフは、まず作者が原稿用紙に言葉を書きます（あるいはパソコンで言葉を打ちます）。その言葉を俳優さんが覚えて喋りますが、ここが問題です。あらかじめ書かれていた言葉を覚えて喋っていると観客や視聴者に感じさせたら興ざめです。できれば、あらかじめ書かれていた言葉ではなく、その人が、その時、その場にいて浮かんできた言葉を喋っているかのように感じさせたいわけです。つまり、作者が登場人物に喋らせたいことを書くのではなく、**登場人物が、その時、その場にいて喋っているかのように**セリフを書きたいのです。

その人が、その時、その場にいて、どんなことを喋るのか、どんな喋り方をするのか、鍵になるのがキャラクターです。

キャラクターと言っても、いろいろな要素があります。行方不明の妹を探しているというのもキャラクターですし、元オリンピック候補のマラソン選手だったが怪我で引退したというのもキャラクター、生まれつき心臓に病を抱えていてというのもキャラクターですが、その時、その場にいて、どんなことを喋り、どんな喋り方をするのかが浮かびやすいのは、性格を一言で考えるのがおすすめです。真面目とか負けず嫌いとか頑固とか。

さらに『地味にスゴイ！』の藤岩りおんのように性格に「〜すぎる」をつけてキャラクターを際立たせてみてください。堅物すぎる性格みたいな感じです。キャラクターが際立てば際立つほど個性あふれるセリフが自然に浮かんできます。

▼りおんの堅物すぎるセリフ

第3話の後半、真理恵が文学賞にノミネートされ、自宅で開かれる「待ち会」に悦子とりおんが招待されます。「待ち会」というのは、文学賞の発表当日、関係者を集め食事などしながら主催者からの連絡を待つ集まりです。

りおんは「私はご辞退申し上げます」「私のような者が『待ち会』になど畏れ多くて」と言い出しますが、校閲部員たちに強く勧められ参加することになります。

ところが当日、待ち会に着ていく服装を聞かれ「このままですが」「スーツはいかなる場所においても正装です」と答えます。

りおんの着ているスーツは13年前、景凡社の入社試験を受ける際に新宿のデパートで購入したものです。

悦子に「いや、これは、もはやスーツではないから。毎日、仕事場に来てきたら、それはただの作業着。作業着を着て、憧れの作家先生のお宅に行くことに、ためらい感じないんですか？」と言われ、「私、外見を飾らなければならないほど中身空っぽではありませんので」「小さい頃から父と母に言われてきたんです。おしゃれをすると馬鹿になるって」と答えると、「何じゃそりゃー！　許さん！」と悦子にキレられ「ちょっと来い！」と手を掴まれ、引っ張って行かれます。

景凡社のファッション誌編集部で撮影に使った服や靴を貸してもらい、悦子にヘアメイクされて待ち会の会場である真理恵の自宅へ。

文学賞を受賞した真理恵に「こちらが例の付箋をつけた同僚の藤岩さんです」と悦子から紹介されると、「本に恋するメガネザルさんね」と呼ばれます。「やっと会えた。ずっと、お会いしたかったのよ、20年前から」と手を握られ、「藤岩さんが、こんなに素敵な方だったなんて、あのペンネームからは、ちょっと想像つかなかったけど」と言われます。

校閲部に戻って「恥ずかしながら髪の毛を巻いたのも、きちんと化粧したのも初めてでしたけど、河野さんのおかげでおしゃれは気分を高揚させるものだと知りました。少なくとも私の両親の言っていたことは、私を勉強に集中させるための嘘だったと、ようやくわかりました」と言うのです。

第4話では、同僚社員から「そういえば最近ちょっとメイクしてません?」と指摘され、「してません!」と慌てて唇を拭いながら、悦子に「そういえば、ちょっとおしゃれに」と言われかけて、「なってません!」と否定し、「校閲におしゃれもメイクも必要ありません。そんなものにうつつを抜かしていると校閲が疎かになります」というセリフがあったりして、思わずニヤニヤしてしまいます。

連ドラ後半になると実は結婚して10年の既婚者だったことがわかったり、夫を「クーたん」と呼んでいたり、意外な面も見えてきてキャラクターが生き生き描かれていると面白くなるなあと実感させられます。そのためにも、ぜひキャラクターならではの個性あふれるセリフ、描いてみてください。

※『地味にスゴイ！』２０１９年10月期の日本テレビ系水曜ドラマ　原作：宮木あや子『校閲ガールシリーズ』脚本：中谷まゆみ、川﨑いづみ　キャスト：石原さとみ、菅田将暉、本田翼、和田正人、江口のりこほか

『私の家政夫ナギサさん』

「結婚はやめるんですか？　おじさんだから」

天保山製薬のＭＲ（医薬情報担当者）である相原メイ（多部未華子）が主人公の『私の家政夫ナギサさん』は、基本的にはお仕事ドラマです。

仕事はバリバリこなすけれど家事が苦手なメイの散らかり放題の部屋に、スーパー家政夫の鴫野ナギサ（大森南朋）がやってくるのが第1話です。

ナギサは掃除や洗濯をこなし、美味しい晩ご飯やお弁当を作り、洋服のアイロンがけやボタンつけをすることでメイのＭＲの仕事を支えます。それだけじゃなく、元ＭＲだった経験からメイの相談に乗ったりアドバイスもします。

▼主人公の隣人でライバルの田所

そして、メイと同じマンションの隣の部屋に住む田所優太（瀬戸康史）もライバル会社であるアーノルド製薬のＭＲです。田所は、メイに好意を寄せつつも、仕事の相談に乗ったり協力したりという関係です。

第7話、田所はメイをゴルフの練習に誘います。ゴルフ練習場で「俺、相原さんのことが好きです。こんなところで、こんなタイミングですみません。自分に自信がなくて返事を聞くのが怖いので運命に委ねようと思います」「俺が、あそこのグリーンに一発で乗せられたら、その、俺と付き合ってください」と、いきなり告白し、2人のラブストーリーは急展開します。

結局、田所の打ったボールは他のボールとぶつかって、どっちのボールがグリーンに乗ったのかわからず、その時、メイもナギサさんの元後輩社員の女性が見つかったと電話がかかってきて、急いで立ち去ってしまいます。

そして第8話、田所はメイに稀少疾患の医師を紹介した帰り、マンションの廊下で「相原さん、前に言ってましたよね、結婚したら今の生活がどうなるのか全然イメージできないって」「あの時は俺もそうでした。でも本気で好きになったら、そんなこと関係なかった。俺はただ相原さんと……相原さんと一緒にいたいんです」とキスしようとします。

その時、田所の部屋から水が流れてきます。

ドアを開けるのをためらっていると、メイに押しのけられ部屋に突入されます。

田所の部屋は、ナギサさんが来る前のメイの部屋のように散らかり放題です。水の原因は洗濯機の上に炊飯器が落ちてホースが抜けたのでした。メイに「何で洗濯機の上に炊飯器が？」と言われてしまいます。

田所は「幻滅しましたよね」「昔から不器用で、見ての通り家事も苦手だし、余裕のフリしてるけど、いつも一杯一杯で。そんな姿を人に見せるのが怖かったんです。完璧じゃないと、いつも一番じゃないと誰にも認めてもらえないような気がして。こんなだらしない姿、相原さんに知られたら嫌われるかもって、ずっと隠したままにしてました。すみません」と話し、「こんな奴から好かれても迷惑ですよね」と苦笑します。

▼第8話だけラウンドキャラ

この第8話の部屋のシーンまで、田所のプライベートは、ほとんど描かれていません。

第4話の終わりに部屋のシーンが一瞬だけあって段ボールが映りますが、暗くて全体像はわかりません。そのあとベランダでビールを飲みますが、映っているのは手すりと室外機とカーテンぐらい。第8話の最初に玄関のシーンがあり、チラッとグチャグチャの下駄箱が映ります。第6話のメイの同僚と水族館デートするシーン以外は、仕事先の病院やマンションの廊下や通勤路や最寄駅、合コン帰りのバー、メイの職場の行きつけの薬膳居酒屋、帰りのコンビニや公園などなど、メイとのシーンだけが描かれます。職場もまったく描かれていません。主人公のメイとの接点だけが描かれているわけです。

メイについては、職場はもちろん仕事先のシーンを中心に、住んでいる部屋や実家、行きつけの居酒屋も描かれます。主人公としてラウンドキャラクターで描かれています。

これに対して**田所はセミラウンドキャラクター**です。主人公の仕事のライバルとしてだけ描かれる脇役なのです。

主人公の仕事のライバルとして田所は**手強いキャラクター**です。清潔感のあるスーツを隙なく着こなし、つねにスマートに行動していて、バタバタしている姿を見せたことがありません。

メイの社用車のバッテリーが上がって困っていた時に助けてくれたり、メイの後輩の新人社員の相談に乗ったり、すでに自分の会社の薬を使っている病院の医師から、メイの会社の薬も使ってもいいかと尋ねられて快諾したり、性格の良さと懐の深さも感じさせます。

他社との比較ではなく、その病院に通っている患者を観察し、どの薬が一番合うかを考える姿勢で医師からも信頼されています。

できれば敵にしたくない相手です。ライバルとしては勝てそうな気がしません。

勝てそうになければならないほど視聴者はメイを応援したくなるのです。

ところが、ラブストーリーの相手となると非の打ちどころがなさすぎて、かえって物足りなさを感じたり、共感もされにくくなってしまいます。

そこで第8話だけ田所を主役としてラウンドキャラクターで描き（とはいえメイと一緒のシーンですが）ダメなところを出しつつ、メイに以前の自分を思い出させてナギサのかけがえのなさに気づかせています。

▼ラウンドかセミか明確に描き分けよう

第9話、メイが「あの、田所さん、あの、私……」と言い淀み、田所は「俺ではダメでしたか」「理由を聞いてもいいですか?」と冷静に尋ねます。「田所さんとは考え方とか生き方とか、共感できるところがたくさんあって、素敵な方だなと思います。でも……」と話すメイに、「ナギサさん、ですか?」と単刀直入に言います。するとメイに「私、ナギサさんにプロポーズしたんです」と打ち明けられ、さすがに驚きます。「この人を手放しちゃいけないって私から言いました」と言われ「あ、そうっか、結婚ですか」と動揺を隠せません。

しかし、メイに「ただ結婚っていうものが自分でも、よくわかってないんですけど、家政夫さんだった人は夫になったら、お互いの役割とか関係性がどう変わるのかなって」と悩みを打ち明けられると、「その点、僕と一緒になったらシンプルですよ。2人で一生懸命働いて、2人が苦手な家事はプロの方に任せればいいわけですから」「あ、ちょっと揺れました?」と笑います。

そして「やっぱり僕たちはライバルでいましょう」「新病院もナギサさんも、うかうかしてると僕が取っちゃいますよ」と言い、「どういうことですか?」と尋ねるメイには答えず、笑って「では」と去っていきます。

トライアル結婚生活を送っていたメイとナギサですが、3日目の夜、メイが帰宅すると「結婚の話はなかったことにしてください」と置き手紙があり、ナギサはいません。

ナギサを探し回るメイを見かけ、田所は声をかけます。「もともと私が無理矢理始めたことだし、ナギサさんは私に合わせるのが辛くなったのかもしれません」「実際、ナギサさんの気持ちをちゃんと聞いていなかったし、ちゃんと話し合って核心に触れることから逃げてたから」「私、嫌われました」と、ため息をつき落ち込むメイに、「まだ決めつけるのは早いです。ちゃんと話して相手の口から聞いてみないとわからないでしょう。相原さんが、いつも仕事でやっていることです」とアドバイスし、マンションの部屋の前で「おやすみなさい」と温かく見送ります。スマートで「いい人」の田所に戻っています。

さらにナギサにも「どういうつもりなんですか? 理由も言わずに黙って消える、それがカッコいい去り方とでも思っているんですか?」「結婚はやめるんですか? おじさんだから」「それぐらいで怖じ気づく程度の気持ちだったんですか」「俺じゃないんですよ。相原さんには、あなたが必要なんです。それぐらいわかってますよね。彼女を幸せにしてくれないと、あなたに、その覚悟がないと、俺はずっと諦めがつきません」と話し、メイと向き合うよう促します。田所の「いい人」全開です。でも、映画やテレビドラマって「いい人」こそがフラれるんですよねえ。

ぜひ、主役としてラウンドキャラクターか、脇役としてセミラウンドキャラクターか、明確にして描き分ける参考にしてください。

※『私の家政夫ナギサさん』２０２０年７月期のＴＢＳ火曜ドラマ　原作：四ツ原フリコ　脚本：徳尾浩司、山下すばる　キャスト：多部未華子、瀬戸康史、眞栄田郷敦、高橋メアリージュン、大森南朋ほか

『MIU404《ミュウヨンマルヨン》』

「そやったら俺は人間やないんかなあ」

警視庁に第四機動捜査隊が新設されバディを組むことになった志摩一未（星野源）と伊吹藍（綾野剛）が、さまざまな事件に直面していく『MIU404』で、2人が最後に立ち向かうのが久住（菅田将暉）です。

まず最初にお断りしておきたいのは、久住は「五味」や「トラッシュ」などと名乗ることもあり、正体不明という設定で、番組ホームページでも姓しか表記されていませんが、みなさんは真似しないでください。**たとえ正体不明という設定でも、仮の姓名でいいのでフルネームを表記するのが基本**になります。

▼最後に立ち向かう相手

久住が最初に登場するのは第3話の終わり、いたずら通報事件を起こした高校生で、1人だけ逃走した成川岳（鈴鹿央士）を匿います。第9話の終わりに、初めて志摩と伊吹の前に立ち塞がります。ようやく逮捕した暴力団の影のスポンサーであるエトリという男を護送中、志摩と伊吹の目の前でドローン爆弾が落とされ、エトリを殺されてしまいます。そのドローン爆弾を飛ばしたのが久住です。

第10話、エトリの正体は過去の殺人事件の容疑者で、自殺したと思われていたことがわかります。整形しエトリとなって裏の世界で暴力団のスポンサーとして生き延びていたのです。いつも誰かの指示を受けているようだったという証言もあり、おそらくエトリという裏の男を、さらに裏で操っていたのが久住だろうということになり、第四機動捜査隊は久住を追い始めます。

しかし、ドーナツEPというドラッグを売りさばいていたこと以外、久住の正体も、今どこにいるのかも一向に掴めません。

志摩は児島弓快（渡邊圭祐）から連絡をもらいます。児島は久住からの情報で動画を作成し投稿、視聴者数を急激に増やしていますが、久住の情報が正しいのかを確かめるためオンライン会議サービスで久住と接触すると言い、志摩と伊吹が秘かに立ち合うことになります。

しかし、カメラをオフにしていたにもかかわらず、児島のパソコンごと乗っ取られていたために久住から志摩と伊吹の姿は丸見えです。

志摩が「バレてるんなら話は早い。久住、自首しろ」「人間がやったことの証拠は必ず残る」と言うと、久住は「そやったら俺は人間やないんかなあ」「人間やないもんを裁くのは無理やなあ」と答えます。

伊吹が、久住の背後で出前サービスの配達員が謝っている声を聞き取り、そこから久住の居場所がわかります。

すると久住は児島のパソコンから警察庁と警視庁に、都内12カ所に爆弾を落とすと予告し、10台以上のドローンが飛び立つ動画を添付したメールを送信します。

都内に次々と爆弾が落とされ、110番通報がひっきりなしに入り、テレビのニュース番組で爆弾テロの速報が流れます。

実は、それらは全て久住のフェイクニュースであり偽の110番通報です。

その混乱に乗じて久住は悠々と逃走します。

▼捕まえられそうにない犯人

たとえば『MIU404』のような刑事ドラマで、この犯人、すぐに捕まりそうだな〜と思われてしまうと観客や視聴者は観たいと思ってくれません。

逆に犯人が捕まえられそうになければないほど、これって、どうするの？　どう解決するの？　と思わせて観客や視聴者を引きこむことができます。

また、主人公が犯人を捕まえるように捕まえるように話を進めていくと、やっぱりこれも観客や視聴者を引きこめません。

主人公が捕まえられそうにない犯人を必死で追いかけ、やっとのことで捕まえそうになるけど、でも捕まえることができず、それでも諦めずに追いかけ……となるからこそ、どんどん引きこまれていくわけです。

なので、枚数の少ない、たとえば基礎講座の課題や20枚シナリオでは話をまとめてショートストーリーにしないことです。まず短い枚数で話をまとめようとすると、短い話でまとまるような設定を考えてしまいます。つまり、たとえば刑事ドラマなら短い枚数で捕まりそうな犯人を考えてしまうわけですね。そして、短い枚数でまとまるようにまとまるように話を進めていきます。つまり犯人が捕まるように捕まるようにしてしまうわけです。

これでは面白いシナリオを描けませんし、面白いシナリオを描く力もつきません。

シナリオ・センターの大先輩であるジェームス三木さんが、ドラマは大きく2つ、**戦うドラマと愛するドラマに分けられる**という話をされていました。ジャンルでいえばアクションやサスペンスは戦うドラマ、ホームドラマやラブストーリーは愛するドラマになるでしょう。職業もの（お仕事ドラマ）は、仲間同士の愛する要素も加わったりしますが、メインは戦うドラマです。『ＭＩＵ４０４』のような刑事ものは、犯罪と戦い犯人を逮捕します。医者ものは病気や時には病院の組織や世間の偏見などと戦いながら、患者を治します。

まずは主人公が勝てそうにない戦う相手を考えてみてください。勝てそうになければ勝てそうにないほど、観客や視聴者を引きこむことができます。

そして、主人公が相手に勝つように勝つように話を進めるのではなく、逆に、勝てそうにない相手に必死で立ち向かおうとするけど、全然かなわなくて、それでも何とか食い下がろうとするが～みたいな感じで、**上手くいかないように上手くいかないように**描いていってみてください。

観客や視聴者が、どうする？　どうなる？　とグイグイ引きこまれるシナリオになっていきます。

▼手強く厄介で魅力的

『ＭＩＵ４０４』最終話、志摩は単独行動で、児島に協力させて、久住の持つスマホケースの情報を集めます。そこから、久住が東京湾マリーナに潜伏しているらしいと突き止めます。

それを盗聴していた伊吹が、やはり単独行動で久住のもとに駆けつけます。

久住は、加熱したドラッグが充満するクルーザーの一室に伊吹を閉じこめ、さらに助けに来た志摩も同じ部屋に閉じこめます。

志摩が目を覚まします。伊吹は意識を失ったままです。志摩は拳銃を出し久住に向けますが、背後から久住と手を組む外国人に拳銃を突きつけられます。「銃声を聞けば伊吹は起きる。目が覚めて俺が死んでたら、俺の相棒は、伊吹はお前を絶対に許さない」と引き金を引こうとした時、外国人が発砲します。

銃声がして伊吹が目を覚まします。久住の指さすほうに頭部から血を流し瀕死の志摩を発見します。思わず傍に落ちていた拳銃を拾いますが、その手を志摩に押さえられ「殺すな」と言われます。しかし、伊吹は久住を射殺し、志摩も亡くなってしまいます。

ここで一度は時が進み、巻き戻されていって、クルーザーの一室に志摩と伊吹は閉じこめられているところに戻ります。第四機動捜査隊の同僚刑事が意識不明から目を覚ましたというメッセージがスマホに届きます。振動した拍子にスマホが落ち、伊吹が目を覚まします。伊吹は志摩を起こし、2人はクルーザーを脱出することができます。

久住はクルーザーで国外逃亡を図りますが、阻止され竹芝に上陸、プライベートジェットを借りようと知り合いに連絡します。その知り合いが貸し切っている屋形船にいるところを、志摩と伊吹に見つかってしまいます。

屋形船で追い詰められた久住は、わざと橋桁に頭を激突させ大怪我を負います。そして警察に暴行されたように見せかけようと「警察にやられた！　殺される！」と叫ぶのです。

結果的には屋形船の客たちが久住の製造したドーナツEPを服用していて証人にならず、そのまま逮捕されてしまいますが、何かのスイッチによって進行方向が違えば最悪の結末もあり得たわけです。

しかも、逮捕後に久住は、志摩と伊吹に本当の名前やどこで育ったのかを尋ねられ、「何がいい？　不幸な生い立ち？　歪んだ幼少期の思い出、いじめられた過去、ん？　どれがいい？　俺は、お前たちの物語にはならない」と答えたきり、身元を示すものが見つからないまま完全黙秘を貫きます。

戦う相手としては極めて手強く厄介であり、いつか『羊たちの沈黙』のレクター博士のような存在として蘇ってくることを夢想してしまうほど極めて魅力的でもあります。

※『ＭＩＵ４０４《ミュウヨンマルヨン》』２０２０年６月期のＴＢＳ系金曜ドラマ　脚本：野木亜紀子　キャスト：綾野剛、星野源、岡田健史、橋本じゅん、麻生久美子ほか

ちょいプラの技術⑳もっと困らせよう、もっともっと困らせられないかをプラス

『天国と地獄～サイコな2人～』「私に私の正義を守らせて」

主人公の望月彩子（綾瀬はるか）が、日高陽斗（高橋一生）と入れ替わってしまう『天国と地獄～サイコな2人～』は、被害者の口にパチンコ玉が詰めこまれた猟奇殺人事件を発端とする連続殺人事件をめぐるミステリー・サスペンスドラマです。

警視庁捜査一課の刑事である彩子は、殺人現場で使われた特殊洗剤に着目し、その製造販売会社社長である日高を怪しいと睨んで追い詰めようとします。ところが第1話の終わり、彩子と日高は歩道橋の階段から転げ落ちた拍子に入れ替わってしまいます。

病院で日高と入れ替わったことに気づいた彩子は、日高のカバンの中に凶器の丸い石を発見、日高が犯人だと確信します。

▼犯人と刑事が入れ代わってしまう展開

第2話、彩子（姿は日高）は日高（姿は彩子）に手錠をかけられ、「このまま出頭して日高陽斗として殺害容疑の取り調べを受け、一生、塀の中で過ごしますか？　それとも私と協力し

て容疑を晴らし無罪放免になる道を選びますか？」と迫られます。仕方なく「容疑を晴らす方向で」と答え、手錠を外してもらいます。その日に行なわれる家宅捜索を乗り切るため、日高の自宅マンションに隠してある段ボールの中身を持ち出し受け渡すよう言われます。日高のマンションへ行き段ボールを開くと、殺人現場で使われた特殊洗剤のボトルや被害者の手のひらに血で描かれていたのと同じマークが描かれた漫画、同一犯の可能性があると見られていた3年前の殺人事件の現場写真、被害者の氏名と住所が記載された殺人リストなどの証拠品が出てきます。

連続殺人犯を野放しにする手伝いをするなんて許されるべきではない、と腹立たしく思いながら証拠品を持ち出し、家宅捜索にやってきた刑事たちに見つかりそうになるのを間一髪くぐり抜け、何とか受け渡しに成功します。

彩子（姿は日高）は、もう一度、入れ替わって元に戻るしかないと、日高（姿は彩子）を歩道橋に呼び出します。日高にタックルし階段を転げ落ちますが、元には戻れません。

さらにナッツを食べさせられ、アナフィラキシーショックを起こします。日高（姿は彩子）に「実は私、重度のナッツ・アレルギーなんですよ」「私にとって最善の道は、あなたには自殺してもらうことだと思うんですよ」「遺書はどんなのがいいですか？　不名誉な疑いに死して抗議する、それとも追い詰められて犯人だと告白して死にますか？」と殺されかけますが、非常ベルに手をかけ「押すわよ」「薬はどこ？　出して」と迫り、アドレナリンの注射を打って助かります。

さらにさらに、第3話の終わりには第2の殺人事件が発覚、と同時に彩子（姿は日高）のもとに動画が送られてきます。そこには日高（姿は彩子）が、天井から逆さ吊りした遺体の頭をゴルフクラブで殴打する姿が映っていて「これでもう元に戻ろうが戻るまいが、あなたも殺人犯。どっちでも同じになっちゃいましたね」と言われてしまいます。

▼予想できない困らせ方が面白さのポイント

主人公が登場人物の1人と入れ替わってしまうという設定は、今まで、いくつもの映画やドラマで描かれてきました。みなさんも少なくとも1本や2本は観たことがあるのではないでしょうか。

なので、それだけだと、こうなるんだろうな、ああなるんだろうなというのが、何となく予想できたかもしれません。

しかし、この『天国と地獄～サイコな2人～』は、まったく予想できませんでした。毎週毎週、この先どうするんだろう？　どうなるんだろう？　と引きこまれていった方が多かったと思います。

ポイントは主人公の困らせ方です。

主人公を困らせれば困らせるほど観客や視聴者は、どうする？　どうなる？　と引きこまれます。

もちろん、主人公が登場人物の1人と入れ替わってしまうというだけでも、主人公を困らせています。ただ、その困らせ方は今まで映画やドラマで描かれているので、何となく予想ができたりして、その分、どうする？　どうなる？　と引きこむ力が弱くなるのです。

引きこむ力が強いのは、どうする？　どうなる？　が予想できない困らせ方です。言い換えれば**解決できそうもない困らせ方**です。解決できそうになければないほど、観客や視聴者を引きこむ力は強くなります。

普段の20枚シナリオや基礎講座などの短い枚数の課題で、**話をまとめないでください、ショートストーリーにしないでください**と話しています。その理由のひとつが、話をまとめようとすると20枚や短い枚数で解決できる困らせ方しか考えなくなるからです。そんな困らせ方では観客や視聴者は引きこまれません。

また、20枚や短い枚数で話をまとめようとすると、主人公や作者にとって都合よく都合よく進めてしまいます。これも観客や視聴者は引きこまれません。

次から次へと主人公を困らせて困らせて、とことん困らせることで観客や視聴者を、ぐいぐいと引きこんでみてください。

とはいえ、解決できそうにない困らせ方なんて、なかなか浮かびません。まずは解決できそうな困らせ方でいいので、そこから、もっと困らせよう、もっともっと困らせられないかと考えてみてください。

困らせ方が浮かばなくなったら、主人公や登場人物のキャラクターから、この主人公なら、どんなことが起これば困るかな？　この登場人物のキャラクターなら、どんなことをして主人公を困らせるかな？　と考えてみてください。

▼終わりそうで終わらない

『天国と地獄～サイコな2人～』の第1話に、彩子と日高が最初に出会うシーンが描かれています。

遅刻しそうになった彩子は、慌ててマスクを忘れ出かけてしまいます。地下鉄で咳払いされ、周りから冷たい目で見られていると、日高に「よかったら、どうぞ」と個包装の新品マスクを差し出されます。「あーあの、公務員なんで受け取れないんです。お気持ちだけで」と答えると、「これ、うちの製品なんですよ。なんでサンプル版ということで。いかがでしょう」と言われ、「じゃあ甘えさせていただきます」と受け取ります。

彩子は「～すべき」が口癖で、たった1枚のマスクを賄賂になるから受け取れないというところが、先輩刑事から「風紀委員」と呼ばれる**正義感の強い**、**生真面目すぎる性格**ならではのところです。一方、日高は、実はマスクが自分の会社の製品だというのは嘘で、自分の身の周りで困っている人がいたら助けたい、**そのためには手段を選ばず**、**嘘もつくというキャラク**

ターです。以下ネタバレを含みます。

第8話の終わりに、彩子と日高は再び入れ替わり元に戻ります。また、第9話には連続殺人の犯人は日高の兄であり、日高は兄をかばうために犯行現場を清掃し、証拠品を隠し、犯人であるかのように振る舞って、自分に捜査の目が向くようにしていたことが明らかになります。しかし、2人が元に戻り連続殺人の真相が解明されても、そこで終わりではありません。もうひとつ、最終話で彩子と日高のキャラクターがぶつかり合うドラマが描かれます。

自分が主犯だと日高が嘘の自供をするのです。彩子は日高の兄が真犯人である証拠を探そうとしながら、家族や社員のことも考えて本当のことを話すよう説得しますが、日高は自供を覆しません。彩子と入れ替わった時に証拠を隠蔽しようとしたり、捜査を混乱させたりしたことが明らかになって、彩子の立場が危うくなることを防ごうとしているのです。

しかし、日高の兄の犯行告白動画が出てきて、彩子は「私は10歳の時、警察官になろうと決心しました。学校で濡れ衣を着せられたからです。その私が、誰かが濡れ衣を着ていくのを見過ごしていいと思う？　もし、これを見て見ぬふりをしたら、その瞬間、私は私の正義をなくす」「私に私の正義を守らせて。私を守りたいと思うなら、あなたは私のために本当のことを言うべきでしょう？」「日高陽斗、やったのはあなたじゃありませんね。違うわね！」と迫り、日高は涙を流しながら「はい」と小さく呟きます。

ぜひ、話（ストーリー）が終わりそうになっても、もうひとつ主人公を困らせ、さらにドラマを描いていく参考にしてください。

※『天国と地獄～サイコな2人～』２０２１年１月期のＴＢＳ日曜劇場　脚本：森下佳子　キャスト：綾瀬はるか、高橋一生、柄本佑、溝端淳平、北村一輝ほか

Ⅲ　面白いシーンを生む「プラスのからくり」

ちょいプラの技術㉑「秘密性のカセ」をプラス

『カルテット』
「みぞみぞしてきました」

▼『カルテット』の世吹すずめ

世吹すずめ（満島ひかり）がチェロの路上ライブを終え、三角パックのコーヒー牛乳を飲みながら投げ銭を数えていると1万円札が差し出されます。思わず摑むと引っ張り合いに。札を差し出してきた巻鏡子（もたいまさこ）に、「すずめさんですよね。あなたに、お願いしたいお仕事があるんです」と言われます。「演奏だったら、どこでも」と答えると「いや、あの。この女性と友だちになる仕事です」と写真を渡されます。写っていたのはバイオリンを持つ早乙女真紀（松たか子）です。

これがドラマ『カルテット』の第1話の冒頭です。すずめはカラオケボックスで偶然を装い真紀に近づき、同じく偶然を装い真紀に近づいてきた別府司（松田龍平）、家森諭高（高橋一生）と知り合います。4人は弦楽四重奏のカルテットを組むことになり、別府の祖父が所有する軽井沢の別荘に集まります。

真紀が別荘に着いた時、すずめはローテーブルの下に潜りこんで眠っています。起こされて早速、練習することに。4人には、それぞれ演奏直前のルーティンがあります。ヴィオラの家森はシャツの襟元を広げ、第二バイオリンの別府は眼鏡を拭き、第一バイオリンの真紀は結婚指輪を右手に付けかえます。

そして、チェロのすずめは靴下を脱いで裸足になり、「**みぞみぞしてきた**」と言います。家森に「みぞみぞって?」と聞かれると、「みぞみぞすることですよ」と答えます。

第1話の終わり、すずめは、ほかの3人が出かけて別荘に1人になると、ローテーブルの下に潜りこみます。そこにはボイスレコーダーが貼りつけてあります。真紀の会話を盗聴録音していたのです。

ボイスレコーダーを鏡子に聞かせます。1年前に夫が失踪したことを真紀が告白する音声を聞いた鏡子は、「息子は失踪なんかしていません」「この女に殺されたんです。必ず、どこかで本性が出ます。それまで友だちのふりを続けてください」と言って、すずめの手にボイスレコーダーを握らせます。

すずめは小さく頷くとハアと吐息を漏らし、「みぞみぞしてきました」と言って三角パックのコーヒー牛乳を飲みます。

▼「秘密性のカセ」は強力な武器

すずめが真紀の会話をボイスレコーダーで盗聴録音していることが、**「秘密性のカセ」**になります。

このことを知っているのは、すずめ自身と鏡子、そして視聴者です。

「秘密性のカセ」は、まず観客や視聴者に知らせておくことがポイントになります。観客や視聴者が知っているからこそ、秘密を抱えた人物と**共犯のような気持ち**になり、感情移入するわけです。なので、すずめのように、**やってはいけないことをやろうとする秘密**であれば、余計にドキドキして引きこまれます。バレそうになったりすると、うわ、ヤバイぞ！　と緊張感が高まったりします。

秘密性のカセは、観客や視聴者を感情移入させて、映画やドラマの世界に引きこむ超強力な武器になるわけです。

さらに第2話の終わりで、すずめが鏡子にボイスレコーダーの音声を聞かせ、「もし自分の夫を殺してたら、こんな言い方しないかなって」と言います。すると鏡子に写真を見せられ、「息子がいなくなった次の日の写真です。あの人、次の日には、もうパーティーに行ってんのよ。夫が失踪してショックを受けた妻が、こんな顔する？」と言われます。写真には満面の笑みでピースをする真紀の姿が。すずめが、真紀を信じようとする気持ちと信じられない気持ちで葛藤するところを描いて、観客や視聴者を感情移入させているのです。

「秘密性のカセ」と混同しがちなのが謎です。たとえば真紀は夫を殺したのかどうかは謎です。これも、どっちなんだろうと思わせて、観客や視聴者を引きこみます。ただ、真紀に感情移入させることにはなりません。「秘密性のカセ」に比べると引きこむ力は弱めです。

実は真紀は、もっと大きな秘密を抱えています。ネタバレになるので、あえて明らかにはしませんが、この秘密も「秘密性のカセ」にはなっていません。あらかじめ視聴者に秘密が知らされておらず、いきなり実はこうでしたとなっているからです。なので、この秘密によって観客や視聴者が真紀に感情移入することはありません。

逆に、この真紀の秘密を知った上で見直してみると感情移入の度合いが大きく違ってきます。たとえば第1話には、ピアニストが名乗る余命9カ月が嘘であることをライブレストランのオーナー夫婦に真紀が密告し、ピアニストを追い出すようにして、自分たちがステージに立てるようになるエピソードが描かれます。第8話では夫と離婚した真紀が鏡子に「自分の人生を生きてください」と言われるシーンがあります。真紀の秘密を知った上で観ると、最初に観た時とは比べ物にならないぐらい真紀に感情移入します。

実はこうでしたと秘密を後で明らかにするより、あらかじめ観客や視聴者に知らせて「秘密性のカセ」にしたほうが、はるかに観客や視聴者を感情移入させることが実感できます。

と同時に、たとえば家森に小学生の息子がいることは第4話で描かれるのですが、第1話で通りがかりの小学生の男の子を振り返るシーンがあったりして、ＤＶＤや動画配信サービスなどで繰り返し観ることを意識して作られているようにも思います。

▼秘密は感情移入させてくれる

第3話は、すずめのもうひとつの秘密が描かれます。冒頭、親戚らしい母親と男の子の会話で、すずめは幼い頃、父親である綿来欧太郎（高橋源一郎）にインチキな超能力を教えこまれてテレビに出演し、「超能力少女すずめちゃん」としてブームになったが、週刊誌にインチキを暴露されバッシングになって、綿来も詐欺で逮捕されたことが語られます。母親が早くに亡くなっていたため、すずめは、いろんな親戚に預けられることになったのです。

その親戚の男の子がすずめを訪ねてきて、綿来が入院していることを知らされます。「もう、いつ亡くなってもって状態で」「最期に娘に会いたいと言って待ってます。これから僕と一緒に来てください」と言われますが、すずめは断固として拒みます。

その夜の演奏後、別府に「今日ちょっとテンポが」と言われ、「遅かったですか？」と答えると、「速かったです、結構」と指摘されます。

数日後、カルテットのホームページにメールが届きます。リンクが貼ってあり、別府がクリックすると「超能力少女すずめちゃん」のテレビ番組の動画が流れます。すずめはチェロの弦を締め過ぎて切ってしまいます。

翌日の朝、いつもなら昼近くまで寝ているすずめが別荘からいなくなっています。すずめは綿来が入院している病院へ向かっています。しかし、バスが病院前のバス停に着いても降りることができず、通り過ぎてしまいます。なけなしの金で花を買い、母親の遺骨が納められたロッカー式納骨堂を訪ねたりしています。

一方、綿来が危篤だという電話を受けた真紀は病院へ駆けつけます。綿来が亡くなり、親戚の男の子から「超能力少女すずめちゃん」の動画を見せられ、その動画が原因で、すずめは大人になってからも居場所がなかったことを知らされます。

真紀が病院を出ると、すずめが病院を見上げています。やはり病院に入れず足早に立ち去るすずめを真紀が追います。

2人は蕎麦屋に入ります。スマホの留守電を聞いていないというすずめに、真紀は綿来が亡くなったことを伝えます。

カツ丼が運ばれてきて「食べ終わったら病院行きますね。病院……怒られるかな。ダメかな。家族だから行かなきゃダメかな」と葛藤するすずめの手を握って真紀は、「病院行かなくていいよ。カツ丼食べたら軽井沢帰ろう」と言います。「みんなのところへ帰ろう」「家族じゃないけど、あそこは、すずめちゃんの居場所だと思うんですよ」と。

「秘密性のカセ」が、すずめに感情移入させてくれますし、蕎麦屋のシーンは真紀の秘密を知った上で改めて見直してみると、受け取り方が大きく違ってきます。

みなさん、秘密、大好きですよね？　しかも秘密のない人なんていません。ぜひ、みなさんのシナリオの登場人物にも、どんな秘密があるかなと考えて「秘密性のカセ」をかけてみてください。

※『カルテット』２０１７年１月期のＴＢＳ系火曜ドラマ　脚本：坂元裕二　キャスト：松たか子、満島ひかり、高橋一生、松田龍平ほか

『カルテット』「あ、部屋に虫的なもの出ました？」

▼甘栗をむく別府司

別府司（松田龍平）は、偶然を装ってカラオケボックスで早乙女真紀（松たか子）に近づき、同じく偶然を装って真紀に近づいてきた世吹すずめ（満島ひかり）や家森諭高（高橋一生）と弦楽四重奏のカルテットを組みます。そして、真紀の夫が1年前から失踪していることを知るのが『カルテット』の第1話です。

第2話では、実は真紀と最初に出会ったのが大学生の時で、以来、偶然に3度も出会っていること、カラオケボックスの出会いは偶然ではなく会いに行ったことを打ち明け、「真紀さんのことが好きです」と告白します。しかし、真紀に「捨てられた女なめんな」と見事にフラれます。

そして、第4話の終盤に、こんな**カットバック**があります。

真紀の東京のマンションで、ベランダにゴミを出したままにしていたら異臭騒ぎになり、別府は真紀と東京のマンションに向かいます。

別府がベランダのゴミを見て「わー溜まってますね」と言うと、「気をつけてくださいね。夫が植木をどかそうとして落ちちゃったことあるんです」「腰うっちゃって3日入院したんです」と真紀が話します。別府が1年前に失踪した真紀の夫の靴下が置きっぱなしになっているのを見つけます。

4人が生活している軽井沢の別荘では、風邪で寝込んでいる家森の部屋に、すずめがおかゆを持ってきます。家森は駅の階段で転んだ時の後頭部の傷を見せ、入院していた時の写真も見せて、「この写真さ、隣のベッドに入院してた人が撮ったんだけど」「その人、真紀さんの夫さんなんだよ」と話します。

東京のマンションでは別府が、靴下を「僕、捨てちゃいましょうか?」と。真紀は「それはゴミじゃないんで」と語気を強めます。

別荘では家森が、カラオケボックスで出会ったのは偶然ではなく、実は真紀から金をゆすり取ろうとしていたことを明かし、「夫さんに打ち明けられたんだ。俺、本当は植木どかそうとして落ちたんじゃなくて、妻に落とされたんだよねって」と話します。真紀の夫の母親から、真紀が夫を殺したと聞かされていたすずめは、食い入るように家森を見つめます。

東京のマンションでは真紀が、宅配ピザを注文し、甘栗を食べて待つことになります。別府が黙って甘栗をむいて差し出します。真紀が食べ終えると、むいていた栗をまた差し出します。

「いいです、いいです」と言う真紀の前に栗を置き、また、むきます。そして「いつまで夫の帰りを待ってるつもりなんですか」「今頃、夫さん、別の女の人と一緒にいるかもしれませんよね」などと言ってしまい、席を立とうとする真紀の手首をつかみます。「あなたといると2つの気持ちが混ざります。楽しいは切ない、嬉しいは寂しい、優しいは冷たい、愛しいは虚しい。愛しくて愛しくて虚しくなります」「語りかけても触っても、そこには何もない。じゃあ僕は一体何からあなたを奪えばいいんですか？」そう言って指を絡ませます。

▼まずは×××がチャンス

別府のキャラクターは**思慮深すぎる性格**です。第3話に、こんなシーンがあります。別府のベッドの中に、すずめが潜り込んできます。2人の顔は、いつキスしても不思議ではないぐらい近づいていています。別府は「あ、ワイファイ繋がらないんですか？」と聞きます。すずめが首を振ると「あ、部屋に虫的なものでました？」すずめが首を振ると、「お腹空いたんですね」とベッドから出ようとして、すずめに引き戻され、胸に顔を埋められます。「す、すずめちゃん？」と呼びかけても、すずめは動かず、しばらくして「すみません。ワイファイ繋がらなくて」とベッドから出て行きます。

そんな思慮深すぎる性格の別府が、靴下に気持ちを乱され、でも甘栗をむくことで何とか抑えこもうとして、かえって想いが募ってしまい、溢れ出てしまう気持ちの揺れ動きだけでも十分に引きつけられるでしょう。

そこに、真紀が夫をベランダから突き落としたという話を家森から聞くことで、この直前のシーンで真紀の夫の母親に、「私は真紀さんを信じてます。真紀さんは殺してません」と言っていたすずめが、もしかしたらという気持ちで揺れ動く**葛藤**、真紀は夫を殺したのかという謎が加わって、とてつもなく引きつけられます。

カットバックを使えば、観客や視聴者を引きつけることができます。

まずは「×××」（同一シーンの短い時間経過）がチャンスです。ここに、どんなシーンを入れられるか考えてみてください。最初は上手く思いつかないかもしれません。でも考える癖がついてくると、これもあるかな、あれもあるかなと広がってきてカットバックを考えるのが楽しくなってくるはずです。そうなると映画やドラマを観た時に、いろんなカットバックに今までより気づくようにもなります。おそらく**思っていた以上に、カットバックが使われていることに驚く**のではないでしょうか。

▼切ないカットバック

第8話にも切ないカットバックがあります。

別府と真紀を近づけようと、ピアノコンサートに2人で行くよう仕向けたすずめは、別府への思いが抑えきれず、コンサートホールの前まで走ります。ホールから出てきた別府が真紀にコートを着せたり2人で写真を撮ったりして、歩き去っていきます。その様子を見送るすずめは笑顔で、でも涙が溢れ出ています。

別府と真紀は、いつも演奏しているライブレストランへ行きます。

すずめは別荘に帰ってきますが、鍵がなく入れません。そこへ家森が帰ってきます。「たこ焼き」とビニールの袋を掲げます。

ライブレストランではピアノの演奏が終わり、別府が「こんな風に見えてるんですね」と言います。真紀は「ずっとここでもいいかなって気がします」などと話しながらワインを飲んだりしています。

別荘では、たこ焼きを食べているすずめに、家森が「今頃2人はお酒でも飲んでるのかな。かたおもい」と指を折ります。すずめも「いいんです」と五文字しりとりで答えて「私には片思いで、ちょうど」と言います。

ライブレストランは閉店しています。ギャラの明細を持ってくるというオーナーを待ちながら、真紀はピアノを弾きます。別府もピアノに近づいてきて、真紀の顔を見つめます。

別荘では家森が「別府くんに告白されても、真紀さん困ると思うよ。SAJの三段活用になりますよ」と言い、「SAJ、何ですか?」と聞くすずめに、「君ちょっと告白して」と演じさせます。

すずめが「好きです」と言うと、家森は困惑したように「ありがとう」と答えます。「これしか言えないでしょ、興味ない人から告白されても」「好きですには、ありがとう」と言う家森に、すずめは「それがSA。Jは？」と尋ねます。家森の「好きです」に、すずめが「ありがとう」と答えると、家森は「あー」と戸惑ってみせて、「冗談です」「これ、このJでSはなかったことになるから」と言い、「なかったことになるかな」と言うすずめに、「ことにして、みんな生きてるの」とたこ焼きを食べます。

ライブレストランでは真紀が、ピアノを弾き終わり、真紀を見つめていた別府が逃げるように離れます。別府がカトラリーセットを落としてぶちまけてしまいます。2人で拾い集めながら、別府が「僕やっぱり真紀さんのことが好きです」と言い、真紀は思わず「またですか」と言ってしまいます。

「またですが、好きです」と押してくる別府に、真紀は「ありがとう」と答えます。「真紀さん」「ありがとう」「好きです」「サンキュー」すると、別府は「もう一緒にいるの辛いです。このままだったら離れたほうが」と言って、「冗談です～」と無理やり笑い、真紀も「ですよね～」と笑って、2人はスプーンをぶつけ合います。

帰り道、別府と真紀はたこ焼きを買います。たこ焼き屋が「ご夫婦？」と尋ね、別府が「いえ、ただの僕の片思いです」と答えると、「ちょっと前にもね、お客さんでいらしたよ、好きな子がお腹すかせてるから持って帰りますって」「恋人さん？　って聞いたら、いや片思いですって」と話します。

別荘では家森が、眠ってしまったすずめを部屋まで運んできます。ベッドに寝かせて見つめると「冗談です」と呟きます。

こんなカットバックを、是非、みなさんも描いてみてください。もう「×××」なんて使ってる場合じゃありません！

『僕のヤバイ妻』
「油断してる今なら絶対に勝てる」

第7話、望月幸平（伊藤英明）の妻・真理亜（木村佳乃）は、幸平の不倫相手である北里杏南（相武紗季）から猛毒アドキシンの粉末を受け取り、「飲んだら、どれぐらいで死ぬ？」と尋ねます。「ほぼ即死」と答える杏南に、「あの人の大好物のカレー味のスペアリブを作って隠し味に、これを使うの」と説明します。「上手くいくかしら」と杏南が言うと「だから念のために、あなたに来てもらう」「お土産のワインに毒を仕込んでおくの」「幸平は、まさか、あなたが持ってきたワインに毒が入っているとは思わない」とアドキシンを半分に分けます。

杏南はアドキシンを受け取ります。が、この2人の会話を録音したボイスレコーダーを幸平に聞かせます。「真理亜さんは私が味方だと思ってる。油断してる今なら絶対に勝てる」「先手必勝」と笑みを浮かべます。

▼二転三転する展開

幸平は真理亜とスーパーに買い物に行き、「俺も何か作るよ」「何がいい？」と尋ねます。

「アクアパッツァ」と答える真理亜。

　実は、その時、杏南が望月家に忍びこみ、岩塩のソルトミルにアドキシンを仕込んでいるはずなのです。

　幸平と真理亜は、それぞれ料理に取りかかります。幸平が横を見ると、真理亜がフライパンに岩塩を振っていて思わず、「おい！」と叫んでしまいます。「アヒージョにも合いそうかなって。ダメだった？　使っちゃ」と真理亜に言われ「いや、別にいいけど」と。「びっくりした」と笑って、岩塩をどんどん振り入れていく真理亜を見て、幸平もアクアパッツァの鯛の切り身に岩塩を振ります。

　２人は食事を始め、真理亜がカレー味と塩胡椒の２種類のスペアリブを「温かいうちに食べて」と取り分け、自分も塩胡椒のスペアリブを取って食べてみせます。幸平もカレー味ではなく塩胡椒のスペアリブを食べ、「うーん美味しい」「こっちも温かいうちに食べて」と真理亜にアクアパッツァを取り分けます。「ありがとう。いただきます」と真理亜がアクアパッツァを口に運びます。

　が、寸前で止めます。「これ最初に作ってくれた時のこと覚えてる？」と延々思い出話をする真理亜に、早く食べろと幸平は苛立ちます。

　と、いきなり真理亜が泣き出します。「ごめんなさい」「カレー味のスペアリブにはアドキシンが入ってるの」と、すべて打ち明け「本当に、ごめんなさい。あなた、こんなに美味しい料理作ってくれたのに」とアクアパッツァを口に運ぼうとします。「ああ！」と幸平が真理亜の手を寸前で押さえます。「いや、それ、冷めちゃったから温め直すよ」と皿ごとキッチンに持って行きます。

そこに杏南が訪ねてきます。真理亜に「ごめんなさい、計画、すべて幸平に話したの」と言われ、幸平も「いいんだ、もう」と。「何、それ」と怒ってパンをアヒージョに浸し食べてしまいます。すぐに苦しみ始め、血を吐いて倒れたまま動かなくなります。

二転三転して目が離せなくなりますが、この後も実は杏南は生きていてと、さらに引っくり返していて、まったく先が読めません。

▼後半からクライマックスにかけて盛り上がっていかない悩み

幸平と杏南が共謀し、アドキシン入りワインで真理亜を殺し遺産を手に入れようとするところから、『僕のヤバイ妻』は始まります。ところが真理亜の誘拐で引っくり返され、誘拐が真理亜の自作自演だったことで引っくり返され、身代金の2億円を狙って争奪戦が繰り広げられます。

真理亜が隠した2億円を幸平が見つけたと思ったら、幸平の姉の元夫である横路正道（宮迫博之）に奪われ、それを真理亜が取り返し、さらに幸平が持ち去って。そこに隣人である鯨井和樹（高橋一生）と鯨井有希（キムラ緑子）も加わり、互いが互いを邪魔して、誰も自分の思惑通り行動できません。

とりわけ主人公の幸平は、**気弱で優柔不断すぎる性格**なので、すぐ人に影響され右往左往します。そもそも真理亜との生活に息苦しさを感じていたのも、真理亜に何も言えなかったからで、不倫も杏南に迫られ、押し切られたんだろうなと想像させます。

横路の娘を助け出すために、自分の持っていた金を出していますし、先ほどの第7話の食事のシーンでも結局は真理亜を殺せません。自ら行動したのは、離婚を切り出しスタンガンを使って2億円を奪った時ぐらいでしょうか。

第6話で真理亜が離婚に応じると伝えられた後、裏切られたと思っていた杏南が戻ってきた時に「良かったあ。俺さあ、これから一人でどうしようかと思ってたんだよ」と言うぐらい、1人では何もできない情けない男なのです。そんな幸平が周囲に翻弄され状況が二転三転します。

それに真理亜が拍車をかけます。真理亜は**クールすぎる性格**です。幸平に離婚を切り出された時は珍しく取り乱しますが、すぐに次の手を打ってきます。目的のためには手段を選ばず、相手が誰であろうと手を組みます。そのため利害関係が錯綜し、余計に状況が混沌としていくのです。

みなさんに共通する悩みのひとつが、**後半からクライマックスにかけて盛り上がっていかない**ことではないでしょうか。**話をまとめようとして一直線に進んでしまっているのが一番の原**

因です。

『僕のヤバイ妻』の最終話は、引っくり返して引っくり返して、最後の最後まで引っくり返しています。

というわけで最終話を紹介します。ネタバレが嫌な人は、ここから先はＤＶＤなどで観てから読んでください。ただ、この最終話はネタバレしても観たくなるし、一度観たら何度でも観たくなる珠玉の最終話になっています。

▼珠玉の最終話

またも真理亜に騙された幸平は、真理亜が鯨井夫婦に誘拐されたと知っても、「殺すなら勝手に殺せ！」と助けに行きません。

しかし、かつて真理亜の家庭教師で自作自演誘拐の共犯者でもある小暮久雄（佐々木蔵之介）から、真理亜の手書きレシピ帳と手紙を見せられ、真理亜が死を覚悟していることを教えられます。「君なら助けられるんじゃないか」と言われ、助けに向かいます。

真理亜は有希に刺され重傷を負ったまま、望月家のリビングに監禁されていました。幸平が駆けつけると、リビングには灯油が撒かれ、有希が火のついた煙草を落とそうとしています。

真理亜に「いい加減、自分の脱いだ靴は自分で靴箱に入れて」と言われ、幸平が靴箱を開けると消火器が。これで真理亜を助けられると思った時、首にナイフが。杏南から2億円を奪った和樹が戻ってきたのです。

和樹は有希に金を持って逃げろと言いますが、「和くんがいないと意味ないのよ」と有希が煙草を投げ捨てます。幸平が飛びこみますが、煙草を拾えません。もうダメかと思った瞬間、床ギリギリで和樹が煙草を掴みます。

しかし、有希は「和くんだけで逃げて！」と自棄になり、ナイフで真理亜を刺そうとします。真理亜をかばって幸平が刺されます。幸平の意識がなくなり、真理亜が泣き叫んで蝋燭を落としてしまいます。

火事になった望月家から真理亜が助け出されるシーンになり、数カ月後、幸平と真理亜は、幸平の実家のクリーニング店で幸せな生活を送っていることが描かれます。

2億円は鯨井夫婦が持っています。回想シーンになり、実は真理亜が落とした蝋燭は消え灯油に燃え移らなかったのです。鯨井夫婦が逃げようとした時、真理亜が「待って。私と手を組まない？」と引き止めます。すぐに救急車を呼んで家に火をつけろ、警察には鯨井夫婦は家の中にいると証言する、その間に逃げられるはずだ、と。2人は、その提案に乗り、今も警察から逃げ続けています。

幸平と真理亜は、20年前、真理亜がイタリア留学の際に加入した誘拐保険が適用されることを知らされます。その額16億円。受取人は幸平です。すべて、この16億のためだったのかと疑いつつ、幸平はサインします。

2人はレストランへ。真理亜はワインを持ち込みます。2人が結婚を約束した時の思い出のワインでもあり、幸平が杏南とアドキシンを仕込んだのと同じ銘柄のワインです。16億をめぐる心理戦をうかがわせつつ、2人はオーダーします。幸平はアクアパッツァ、真理亜はスペアリブ。

最後の最後まで引っくり返して引っくり返しているので、最後の最後まで目が離せません。

みなさんも是非、話をまとめようとしない力を身につけてください。

※『僕のヤバイ妻』2016年4月期のフジテレビ系火曜22時枠ドラマ　脚本：黒岩勉　キャスト：伊藤英明、木村佳乃、相武紗季、佐藤隆太ほか

『凪のお暇』
「凪ちゃんだけのちぎりパンになる」

『凪のお暇』第4話で、大島凪（黒木華）は、安良城ゴン（中村倫也）から部屋の鍵を渡されます。

万華鏡キーホルダーのついた鍵です。

ただのアパートの隣人から、初めてゴンの部屋を訪ねていった夜に、いきなり大人の関係になってしまい、自分たちは恋人同士と思っていいのか、ゴンに聞こうとして聞けずにいた凪は、「いいんですか、こんな大事なもの貰って」と大喜びします。

しかし、ゴンがDJをしているクラブに行き、ゴン目当ての女性たちがたくさんいることに気づいて、悶々と眠れぬ夜を過ごします。さらにゴンが訪ねてきた美大生にも優しく接するのを目の当たりにし、凪は心乱されます。

▼洗面台の化粧水瓶と歯ブラシ

そして、凪がゴンの部屋でロールレタスを作っていると、ドアが開き、ゴンの仕事仲間のエリィ（水谷果穂）が、「ゴンじゃなくてごめんね。気にしないで。レコード回収したら、すぐ出るから」と部屋に入ってきます。「もしかしてゴン待ち？」と尋ねられ「今日イベント早く切り上げられるから帰ってきたら、ご飯でもって」と凪が答えると、「あいつ多分、朝まで帰んないよ」と言われてしまいます。「ノリで深夜のＤＪタイム、代打で回すことになったから」と。

落ちこむ凪に、エリーはポケットから鍵を出して見せます。凪が貰ったのとまったく同じ万華鏡キーホルダーつきの鍵です。

エリィは言います。「あいつ誰にでも渡すからね、部屋の鍵。ゴンてさあ、優しいでしょう。一緒にいると、めちゃくちゃもてなしてくれて、その時、自分が一番言って欲しい言葉くれるでしょう」「あいつは、ただひたすら目の前にいる人に誠実なの。この意味わかる？　それってつまり、目の前にいない人には不誠実ってこと。だから平気で約束も忘れる。あいつの言う面白いも、可愛いも、真に受けちゃダメ。誰にでも、ああだから。誰でもウェルカムなの。そこがクソ。しかもＨがクソ上手ぃ。そこが、あいつの怖いとこ」と。

凪が「どうしてエリィさんが、そんなこと」と尋ねると、「マジ思い出したくないドブ歴史だから。あいつのせいでドンドン倒れてく女の子の屍見て正気に戻ったの」とエリィは答え、「あいつと上手くやっていくには用法容量守らないとダメ。依存したら終わりだよ」と部屋を出ていきます。

さらにユニットバスに入った凪は、洗面台の棚に種類の違う化粧水の瓶が所狭しと並べられ、女性ものの歯ブラシが何本も立ててあるのを見てしまいます。

▼「万華鏡キーホルダーつきの鍵」が人間関係を展開させる

ゴンは「メンヘラ製造機」と呼ばれています。関わった女性がゴンに夢中になり過ぎてしまい、他のことが手につかなくなってしまうのです。豆苗を育てたりして節約料理が得意だった凪も、まったく自炊をしなくなり、コンビニで買ってきた食事で済ませるようになってしまいます。

ゴンに悪意はありません。「可愛い、面白い、から優しくしたい。それだけじゃダメなのかなあ」と仕事仲間に言ったり、凪の元彼である我聞慎二（高橋一生）に、「目の前にいる女の子の望みが俺の望みだった。して欲しいことがわかるから、それをしてあげて」とも話しています。

女性だけではありません。我聞が凪の部屋を訪ねてきて呼び鈴を鳴らしても出てこなかった時に、「凪ちゃんが帰るまでウチで待ってて」と部屋に招き入れると、アッという間に打ち解けます。

我聞の失踪した兄を探すことをきっかけに、さらに仲良くなり、過呼吸で会社を休むことになった我聞を1週間、部屋に連れてきたりもします。「なんか弱ってたから強引に連れてきちゃった。凪ちゃんの顔見たら元気出るかなあって」と、我聞行きつけのスナック『バブル』のママ（武田真治）に言い、「俺、凪ちゃんのこと好きになっちゃって」と打ち明け、「ちょっと待って。その2つ両立しないでしょ」と突っ込まれます。

とにかく優しすぎる性格なのです。

そのゴンの**キャラクターそのものを表しているのが、万華鏡キーホルダーつきの鍵と洗面台の化粧水の瓶や歯ブラシの小道具**です。

この万華鏡キーホルダーつきの鍵を動かしていくことで、凪との関係が展開していきます。

第5話、凪は万華鏡キーホルダーつきの鍵をゴンに返します。「今までみたいに2人で会うのは、もうやめようと思って」「ゴンさんといる時、すっごく空気が美味しくて。でもゴンさんといられない時、息してないみたいで」「私にとってゴンさんは、ちぎりパンみたいな人なんだなって」と言って、**手作りの土鍋まるごとちぎりパン**を「たくさん作ったので、よかったら」と渡します。

ゴンが「ちぎりパンなの？　俺」と尋ねてきて、「はい。私にとってゴンさんは本当に、このパンみたいで、かじる度に次はどんな味で楽しませてくれるんだろうって、これ以上食べると太っちゃうのわかってるのに止められなくて、でも、たくさん食べたいから、それっぽい食べる理由ひねり出して、食べて食べて。今の私にとってゴンさんは、あまりにも美味しすぎるんです」と答えます。

ゴンは「ごめん、ちょっと何言ってるかわからない」「美味しいパンなら食べたい時に好きなだけ食べればいいじゃない」「それに凪ちゃん、太ってないし。もし太ったとしても可愛いし」と納得しません。

しかし、凪の「やたらと色っぽい女子中学生」の例えに、結局、別れを受け入れます。去っていく凪を見送り、**ちぎりパンを一口食べた時、ゴンは胸に痛みを感じます**。ゴンにとって初めての痛みに「ん?」となります。

そして、第6話でアパートの2階に住む吉永緑(三田佳子)に「あなた、その胸の痛みが何のか、本当に知らないの?」「だとしたら初恋ね。おめでとう」「そして、ご愁傷さま。ままならぬ愛と欲望の世界へ、ようこそ。今度は自分が壊れる番ね」と言われます。

▼キャラや気持ちが小道具で伝わる

第8話の終わりに、母親の言いなりになってしまった凪が、我聞に優しくされているのを遠くから見ていたゴンは、生まれて初めて嫉妬心を抱き、思わずハンドルを叩いてクラクションを鳴らしてしまいます。

第9話、ゴンはエリィに「俺、エリィに怒られても、よくわかってなかったんだ」「なんで、みんなに優しくしたらダメなのか、なんで、みんなに部屋の鍵渡したらダメなのか、なんで女の子たち、みんな壊れてっちゃうのか。好きな人がさ、ほかの奴と一緒にいるって思ったら、俺のものにならないって思ったら……壊れそう」と話し、「負けたくない。俺、本気出してみる」と去っていきます。

クラブに遅れて現れたゴンは、顔は傷だらけ、Tシャツも破れています。ゴンの部屋で「そういうことだったんだ」と言うエリィに、「うん。色々ごめんね」とゴンが謝ります。エリィは「何の話？」と笑って、「はい、これで全部」と何かを渡します（何を渡したのかはフレームの外で見えません）。「ありがとう」と言うゴンにエリィが「がんばれ」と去っていくシーンがあります。

商店街のガードレールにゴンが座っています。凪と慎二が歩いてくるのに気づくと通りに飛び出します。走ってきた車が急停車してクラクションを鳴らします。何事かと凪と慎二は固まったように立ち尽くします。

ゴンは凪の前に立ち「俺、凪ちゃんのことが好き。めちゃくちゃ好き。だけど、告白ってどうやったらいいかわかんなくて。だから回収してきた」と言い、バッグの中から万華鏡キーホルダーつきの鍵を出していきます。

路上に、いくつもの万華鏡キーホルダーつきの鍵が散らばります。

ゴンが「いろんな女の子に渡してきた部屋の鍵」と言うと、凪は「もしかして、その顔の傷……」と目を見張ります。

ゴンが「これからは凪ちゃんだけを見る。凪ちゃんだけに優しくする。凪ちゃんだけのちぎりパンになる」「凪ちゃんだけ好きでいる」と言うと、ゴンの部屋のユニットバスが映されます。洗面台には何もなく化粧水の瓶が消えています。歯ブラシもコップに男ものが1本だけ。「凪ちゃん、俺と付き合ってください」とゴンは頭を下げます。

小道具でキャラクターや気持ちの動きが伝わると、映像で面白いと感じさせてくれることを改めて実感させてくれます。ぜひ参考にして小道具使ってみてください。

※『凪のお暇』2019年7月期のTBS系金曜ドラマ　原作：コナリミサト　脚本：大島里美
キャスト：黒木華、高橋一生、中村倫也、市川実日子ほか

『俺の家の話』
「速く能の恵子、死体」

観山寿一（長瀬智也）が主人公の『俺の家の話』は、能やプロレスという、やや特殊な世界が設定されているものの、父親の介護を切り口に家族の心情を等身大に描いたホームドラマです。

▼転送されてきたLINEの文面

第7話では、主人公と元妻が息子・秀生（羽村仁成）の親権問題で揉めます。

秀生は学習障害と多動の傾向があり、漢字とじっとしているのが苦手です。しかし、能を観ている時だけは動かずにいられることから、主人公の父であり人間国宝の観山寿三郎（西田敏行）のもとに能の稽古に通うことになります。主人公は将来、秀生が観山流宗家を継ぐことも考え、元妻にあった親権を自分が持とうと考えますが、元妻の再婚相手が反対します。

互いに代理人を立てての話し合いの場で、主人公は元妻を怒らせてしまい、「もう秀生に会わんとって。能の稽古も辞めさせます」となってしまいます。しばらくして甥に「伯父さん、秀生と連絡取ってる？」と訊かれます。「いや。つーか、あいつ、携帯持ってないだろ」と答えると、「買ってもらったみたい。さっきＬＩＮＥ来たから転送しとくね」と言われます。転送されたＬＩＮＥには『速く能の恵子、死体』『南でおじいちゃん血、いっちゃ池ナイの』と打たれています。

寿三郎にも「お前さ、秀生は何時来んだよ、秀生は」「どうして秀生は来ないんですか？」と繰り返し言われます。その寿三郎の認知症が進行していることがわかります。

主人公は秀生の親権について話し合うリモート会議中に、「秀生の将来のこととか、そんな悠長なこと言ってらんなくなったつーか」「会いたい時に会わせてやりてえつーか」「１分１秒でも一緒に居させてやりてえつーか」と話しながら、元妻のマンションに向かいます。

そして元妻に「つーか今なんだよ。将来とか知らねえし、親権とかいらねえわ。今、会いてえの、親父」「会わしてやりてえの」「頼む、この通り」と床に手をつき頭を下げて、「せめて、親父が、せめて親父が死ぬまでは稽古を続けさせてやってください」「週一じゃなくてもいい、月一でもいい、来たい時、会いたい時、会えるようにだけしてください。お願いします」と話し、改めて深々と頭を下げます。元妻に「ええよ、どっちでも、本人がやりたい言うなら」と言われ、「本人はバリバリやりたがってんだ」と『能が、死体！』『能、死体！』『能、死体！』『能死体！』『能死体！』と打たれた秀生のＬＩＮＥ画面を見せます。

最近、シナリオでＬＩＮＥに代表されるＳＮＳを使ったメッセージのやりとりを描く人が増えてきました。多くの人が日常的に使っているツールなので当然でしょう。

ただ、ちょっと注意してほしいことがあります。**普段と同じようなメッセージのやりとりを、そのままシナリオで描いても面白いシナリオにはならない**ということです。

言葉のやりとりということではセリフも同じです。セリフも日常会話と同じようなやりとりを、そのまま描いても面白くはなりません。

例えば田中と妹の圭子が、母親の介護について話をしているとします。日常会話というのは当事者同士である田中と圭子だけで完結しています。しかし、シナリオは、その言葉のやりとりを観客や視聴者が観ています。介護をしていたり、経験したことがあったり、関心がある一部を除いて、ほとんど多くの観客や視聴者にとって田中と恵子の母親の介護は他人事です。それでも、第三者である観客や視聴者が引きこまれるように田中と圭子のやりとりを描くことが求められるのです。観客や視聴者を引きつけるセリフを描いて初めて面白いシナリオになるわけです。

そういう意味で、スマホ画面のメッセージのやりとりを観せて、観客や視聴者を引きつけるのは、極めてハードルが高いでしょう。並んでいる文字が映っているだけですから。

セリフのやりとりなら俳優さんの表情が映ります。声のトーンや喋り方、しぐさなどなど俳優さんの演技もプラスされます。俳優さんは観客や視聴者を引きつけよう引きつけようと演じてくれるのです。セリフのやりとりなら俳優さんと俳優さんが互いにリアクションし合う、生き生きとした演技のぶつかり合いも生まれます。

さらには「愛しているよ」と言いながら、背中に別の女性へのプレゼントを隠し持っているとか、小道具を使うこともできます。

シナリオは文章を書いているのですが、**映像で観て面白くなるように描くことが求められる**のです。魅力あるシーンを描くというのは、映像で観て観客や視聴者が引きこまれるように描くということです。

なので、基本的にはSNSなどでメッセージをやりとりするよりも、実際に会わせてセリフのやりとりを描いたほうが、より面白いシナリオになりやすいのです。

逆にいえば、SNSなどのメッセージを使うのであればスマホ画面を映した時に観客や視聴者が映像で観て面白くなるように描けばいいわけです。

『俺の家の話』の秀生のメッセージは、まず観た瞬間に思わず笑ってしまうような誤字に引きつけられます。その映像からは漢字が苦手なキャラクターと、にもかかわらず一生懸命に文字を打った秀生の気持ちが、あふれんばかりに伝わってきます。

▼メッセージのほうが面白くなるように

第4話では主人公に、寿三郎の一番弟子で後に実子とわかる観山寿限無（桐谷健太）が寿三郎のLINEについて話をします。「宗家が倒れる前、地方巡業で博多のガールズバー行ったの」「で、東京帰ってからも、しばらく楽しくやりとりしてたんだけど、女の子がひっそり退室してて、理由聞いたら、これ、夜中に送られてきたって」とスマホ画面を見せると、寿三郎の声が聞こえてきます。「浮舟だね。２人の男に求愛されて精神を病んだ挙句、身投げする女の謡」「飛騨高山のガールズバーで」「まあ、宗家から見れば、たいがいの女はガールズなんだけど」「で、後日送られて来たのが、嫉妬に狂った御息所の謡」とスマホ画面を見せると、寿三郎の声と般若の面をつけた写真が映し出されます。

寿限無が「出会いは軽いのにＬＩＮＥが重いんだよ」と言うと、「あとスタンプの使い方が独特ですよね」と、介護ヘルパーで寿三郎の婚約者・志田さくら（戸田恵梨香）が顔を出します。主人公が「あの、さくらさん、親父のＬＩＮＥを」と手を出します。寿限無は「寿一っちゃん、それはさすがに」と止めようとしますが、「どうぞ」と、さくらはあっさりスマホを手渡します。

画面を見ると左側の寿三郎の５〜６行ぐらいのメッセージが、いくつか並んでいるのに対して、右側のさくらのメッセージは「私も」の一言だけ、また左側の５〜６行のメッセージがいくつも並んでいます。主人公は「あの、俺が言うのも変なんだけど、もうちょっと返してあげられます？」と頼みます。

第６話は、観山家が家族旅行に出かけ、さくらは東京で留守番することになります。主人公の弟・観山踊介（永山絢斗）は、さくらに片想いしていて「さくらは今何してるの？」「さくら寝てるの？」「今、茨城入った」「さくらも来ればよかったのに（ハートマーク）」としつこくメッセージを送りますが、無視されます。

サービスエリアで昼食後、踊介は「兄貴、兄貴、ちょっといい?」「さくらに何回もLINE送ってんだけど、全然、既読になんなくってさ、さっきやっと返事返って来たんだけど、見てこれ」と主人公にスマホを見せます。画面には「既読」と打たれたメッセージがあります。「わざわざ既読って送ってくるってことは、どういう」と尋ねようとすると、後ろから主人公の妹・長田舞（江口のりこ）が「うるせえって意味だよ」と答えます。

どちらも、さくらのキャラクターや、さくらと寿三郎や踊介との関係が映像で伝わってくるメッセージのやりとりです。

SNSのメッセージを使うのであれば、あえてセリフではなくSNSのメッセージのほうが面白くなるような使い方をしてみてください。

※『俺の家の話』2021年1月期のTBS系金曜ナイトドラマ　脚本：宮藤官九郎　キャスト：長瀬智也、戸田恵梨香、永山絢斗、江口のり子、桐谷健太、西田敏行ほか

創作のお悩み相談4

Q　小道具がなかなか思いつきません。

A　キャラクターから発想するといいでしょう。
その人の職業とか趣味とかから考えます。

キャラクターをモノであらわすとか、キャラクターの秘密と関係するモノはありませんか？ 小道具の使い方を考えるうちに、ストーリーが変わってしまってもいいのです。

『この世界の片隅に』

「なんか、まだある気がするんよ、右手」

『この世界の片隅に』第6話の終わりに、主人公の北條すず（松本穂香）の目の前で不発弾が爆発します。一緒にいた夫の姉の子・晴美（稲垣来泉）は亡くなり、すずは右手を失います。そして第7話に、こんなシーンがあります。

▼シーン尻をト書きで締める

大豆の配給場所で、隣人の刈谷幸子（伊藤沙莉）と堂本志野（土村芳）が、「大丈夫じゃろうか、すず」「うん。何か辛いね、いろいろ」「うん」と心配していると、すずの夫の姉であり、晴美の母の黒村径子（尾野真千子）が来ます。幸子が気づき「径子さん、何て言うてええか、その……」と言葉につまります。

径子は「うん」とだけ答えて、2人の間を通り抜けていきかけ、足を止め、「悪いけど、うちはすずのことは考えられん。正直、あの子が悪いんじゃないのはわかっとるけど、何で、あんただけ生きとるんて、何で逆じゃないんて思うてしまう。あの子の顔やら、のうなった手のあたりとか見るたんびに、そう思うてしまう。じゃけえ、あんたらが何とかせえ、すずのこと」「うちは何もせん。何もできん。あんたらがせえ」と言って大豆の配給を受けに行きます。升ぴったりに入った大豆を見て、「ん？ ちょっと少ないんじゃないん、これ。ちょっと、どうなん？」と当番に文句を言うと、当番は慌てて大豆を足し、山盛りにしてくれて持ってきた袋に入れてくれます。

径子は「ありがと」と去り際に、さらに大豆を一つかみ握って袋に入れていきます。あっとなる当番ですが、何も言いません。幸子と志野も黙って径子を見送ります。

径子が大豆を一つかみ袋に入れるところと、ご近所さんや幸子や志野が黙って見送るところが、シーン尻をト書きで締めるになっています。**シーン尻というのはシーン（柱）の最後という意味**です。

▼すずと幸子と志野のシーン

次のシーンは堂本家の前の道です。いつも通り堂本安次郎（塩見三省）が座っています。径子が来て立ち止まると堂本に目礼され、大豆の袋を見つめ、ため息をつきます。そこへ刈谷タキ（木野花）が走ってきて、「これ食べて」とトマトを渡されます。「こがいなことしか……ごめんね」というタキに、「ありがと」と礼を言うとタキは去っていきます。

径子はトマトを見つめます。晴美を思い出し、膝をついて泣き始めます。その姿を堂本が沈痛な表情で見ています。径子は天を仰ぎ声を上げて泣きます。

これもシーン尻をト書きで締めています。

さらに幸子と志野が、すずを外に連れ出すシーンがあります。いつも3人で話をしていた海を見渡せる畑に、ゴザを敷いて座ります。幸子に「大丈夫なん？」と聞かれ、すずが「うん。ありがと」と答えます。志野に「痛い？」と聞かれ「うん」と答え「なんか、まだある気がするんよ、右手。なんか、ある気がする」と話します。「なんか困った」と言うすずに、幸子が「何が？」と尋ね、志野が「何でも言うて」と言ってくれます。「何もできんけえ、あの家におっても。居場所がないゆうか、うちの顔見ると、晴美さん思い出してしまうんじゃろうし……消えてしまいたい。何で、うちも一緒に死んでしまわんかったんじゃろう。何で？　何で、何で晴美さん守れんかったんじゃろう？　何で？　何でよ。消えてしまいたい」と、すずが泣き出します。

と、いきなり幸子が拳ですずの頭を思い切り殴ります。志野が「何するん？　幸子ちゃん！」と驚きますが、幸子は「悔しかったら殴り返しんさい」「右手がないなら左手で殴り返しゃあええ。ほれ」と、また殴ります。「ほれ」と、もう一度、殴ります。すずに左手で殴られると「全然、痛うないわ」と睨みます。

すずが1発、2発と殴ってきます。「ちいとも痛うないわ」すずが続けざまに殴ります。すると泣いていた志野が、つられたように思い切り殴ってきます。「痛！　ええ？」と驚いて志野を見ます。幸子と志野は笑います。笑いながらすずを抱き寄せ、3人で泣きます。抱き合いながら、ずっと泣いています。

▼岡田惠和さんは無言シーンの名手

『この世界の片隅に』の脚本は岡田惠和さんです。さりげないセリフの的確さと、登場人物それぞれの丁寧なキャラクター作りには、絶対的な定評があります。

たとえば同じく第7話で、呉が空襲に遭い、すずの夫・北條周作（松坂桃李）が同僚の成瀬とともに帰ってくるシーンがあります。軍事教練で家を離れていた周作は、すずが不発弾爆発に遭ったことを知りません。水汲みをしていた幸子の「早う、家へ。すずが、早う」と言う剣幕に、慌てて走り去ります。幸子を心配して来てくれた成瀬に、「ありがとうございます。うちは皆、無事です」という2人のやりとりを聞いていた志野が「ええなあ…ええなあ」と呟き、涙ぐみます。志野の夫は出征していて便りもありません。たった一言のセリフですが、その時の志野の気持ちが伝わってくるだけでなく、微笑みを浮かべて何事もなく振る舞ってはいるけど、いつも寂しさや不安を抱えているのがうかがわれて胸を突かれます。こんな、さりげない短いセリフで心を掴むシーンを描けるなんて、さすがとしか言いようがありません。

と同時に岡田さんは、シーン尻をト書きで締めるを含めて**セリフのない無言のシーン**を描く名手でもあります。

嫁いできたばかりの慣れない台所で、米を研ぐすずを周作が黙って見ているシーン。径子が家族写真を見つめているシーン、それを見て母親の北條サン（伊藤蘭）がそっと襖を締めるシーン。帰っていく息子の黒村久夫（大山蓮斗）を見送った径子が、追いかけて駆け出すシーン、それを見て晴美が悲しそうな表情をするシーン、径子が久夫に追いつくと振り向いた久夫が泣いているシーン、2人で手をつないで歩くシーン。晴美を亡くした径子が、焼き芋を食べる女の子を見ているシーンと、それをすずが見ているシーン。すずが左手で書いている葉書を、周作が動かないように押さえてやるシーンなど、数え上げたらキリがないほどのセリフのない無言のシーンがあります。どれも感情が溢れ出してきて、食い入るように観入ってしまい、目が離せなくなるシーンばかりです。

「クライマックスは無である」という言葉があります。この場合のクライマックスは起承転結の転を指すのですが、シーンとしてのクライマックスも無言で描いて、より感情の溢れるシーンにしてみてください。

最終話、終戦後の物資不足で、物々交換に出す着物を持ち寄るシーンがあります。仏壇に晴美の写真が飾ってあり、ハーシーのチョコレートが供えられています。サンが箪笥から着物を出すと、径子が「お母ちゃん、ええん？　それ、お気に入りじゃったじゃろ」と言います。サンは「ええわ。着ることもないし」と答えます。すずも着物を抱えてきます。「あれま、すずさん、そがいに」とサンに言われ、「ええんですよ。背に腹は代えられんです」と答えますが、径子が「これ、祝言の時の晴れ着じゃろ？」と気づきます。「ええんです。うちはもう祝言しませんから」と言います。

径子が茶箱から洋服をどんどん出してきて「ええんよ、娘時代の服じゃけえ、もう似合わんし」と言い、「ああ」と返事をしたすずに、「そんなことない言え」と突っこみ、すずが慌てて「そがいなこと」と言いかけたのに「遅いわ」と、さらに突っこんで笑います。

径子が箪笥の引き出しを開けると、晴美の服がしまってあります。服を手に取り見つめますが、元に戻して静かに箪笥を閉めます。

シーン尻のト書きから晴美を忘れられない径子の気持ちが溢れ出ています。**シーン尻のト書きから逆算された**出だしの晴美の遺影にも注目して下さい。

この1分30秒ほどの短いシーンは、母親を原爆で亡くした孤児の女の子を、すずが連れて帰ってきた時に、径子が晴美の服を出してくるシーンにつながっています。それは見ず知らずだった人と人が出会い、支え合う昭和9年から昭和20年のドラマが、見ず知らずだった北條節子（香川京子）と近江佳代（榮倉奈々）が出会い、支え合う現代のドラマにもつながっています。

※『この世界の片隅に』２０１８年7月期のＴＢＳ日曜劇場　原作：こうの史代　脚本：岡田惠和　キャスト：松本穂香、松坂桃李、村上虹郎、尾野真千子、二階堂ふみ、榮倉奈々ほか

『グランメゾン東京』
「私の料理で勝負する」

▼第1話の倫子

第1話の後半、早見倫子（鈴木京香）は、レストラン「ｇａｋｕ」のシェフ・丹後学（尾上菊之助）から、「うちに来ませんか？」「私は本気で、あなたと働きたいと思っています」と誘われます。

「ｇａｋｕ」は、倫子にとって「この店を知れば東京の最先端のフレンチがわかる」という店であり、丹後は「味もセンスも超一流」という料理人です。

パリで、尾花夏樹（木村拓哉）に「あんたは星が取りたい。だったら、あんたが店を開いて俺と一緒に星を取ればいいでしょ」「2人で一緒に世界一のグランメゾン作るってのは、どう？　俺が必ずあんたに星を取らせてやるよ」と言われ、2人で東京に戻ってきましたが、かつて尾花の同僚だった京野陸太郎（沢村一樹）や相沢瓶人（及川光博）を誘ったものの、取りつく島もなく断られ、開店準備は行き詰まってしまっています。

丹後に「少し考えさせてください」と言って帰宅した倫子は、勝手にキッチンで料理をしている尾花に、「勝手に入らないでください」と苛立った声を上げ、「私のこと一体、何だと思ってるんですか？　とりあえず泊まれる都合のいい中年女ですか、それとも、いい金づるですか？」と詰め寄ります。

「世界一のグランメゾン作るパートナーだって言っててんじゃん」と答える尾花に、「そんな夢みたいなこと言って、誰一人、尾花さんと一緒にやろうって人いないじゃないですか。どこに行っても、誰に聞いても、尾花さんの悪口ばっかり。そんなんで世界一のグランメゾンなんて、できるわけないじゃないですか」と怒りをぶつけます。

そして「もう夢みたいな話は結構です。さっき丹後さんに誘われました。私を社員として迎えると言ってくれました。その誘いを受けることにします」と言います。

尾花が去っていった後、湯気を上げている鍋の中身を見ます。5種類の肉が入ったクスクス・アラメゾン。尾花と京野がパリで修業していた時のまかないご飯です。鍋の脇には皮をおろした柚子があります。倫子の提案を取り入れて、レシピを変更し作ったのです。倫子は、ご飯にかけて一口食べます。

「ｇａｋｕ」に倫子が来ます。丹後に「決心してくれたんですね」「歓迎します」と手を差し出されます。その手に紙袋を押しつけます。「1千万円入ってます。これで京野さんの借金を返済します」「この店から京野さんを引き抜きに来ました」と『ｇａｋｕ』のギャルソンとなっている京野に向き合い、「あなたが誇りを持ってお客様に提供できる料理しか、私たちは作らないと約束します」「私と尾花さんと一緒に、お店を作りませんか。力を貸して下さい」と説得します。

▼「葛藤」を描けば描くほど感情移入できる

倫子は、丹後の誘いに応えよう（尾花とのレストラン開業を諦めよう）とする気持ちと、丹後の誘いを断ろうとする（尾花とのレストラン開業を諦められない）気持ちで、揺れ動いています。**この対立する2つの気持ちの間で揺れ動くのが「葛藤」です。**

なぜ「葛藤」を描くのでしょうか？「葛藤」を描けば描くほど観客や視聴者が感情移入するからです。感情移入すればするほど面白いと感じてくれます。つまり、葛藤を描けば描くほど、観客や視聴者を面白いと感じさせることができるのです。

たとえば、この『グランメゾン東京』第1話全体では倫子が、パリの三つ星レストラン「ランブロワジー」の採用テストに落ち、さらに尾花の料理に圧倒され料理人を諦めようとするが、尾花に一緒に星を取ろうと言われ、料理人として再チャレンジしたくなるが、でもやっぱり諦めようと思うが……、と「葛藤」しています。第1話の終わりには京野が、倫子には力を貸してくれと言われ、丹後には、また尾花と組むなんて馬鹿な真似はしないですよね、あいつが、どんな人間かわかってますよねと言われ、「葛藤」します。

第2話では相沢が、尾花とは関わりたくないと思う、しかし尾花にキッチンを使わせることになるが、尾花が茄子のレシピを考えているのを無視しようとするが、気になって仕方がないが……、と「葛藤」します。

そこに、かつて尾花の元で見習いをしていた平古祥平（玉森裕太）が、尾花のアドバイスを無視し尾花の作ったグレービーソースの容器を捨てようとするが……、と「葛藤」したり、倫子が開業資金のために自宅を抵当に入れるのを拒否するが……、と「葛藤」したりするのが加わり、最後は相沢が、尾花に手を差し出され握手しようとするが、握手しないでおこうとするが……、と「葛藤」します。

本来なら観客や視聴者を主人公に感情移入させたいので、**主人公に対立する気持ちを持たせ、その間で揺れ動かして「葛藤」させるのが基本**です。なので、みなさんが20枚シナリオやコンクールのシナリオを書く時には、主人公を対立する気持ちの間で揺れ動かし「葛藤」させるようにしてみてください。

この『グランメゾン東京』は、観客や視聴者を主人公ではなく、**主人公の周りの人物に感情移入させるという応用技**を使っています。各話ごとに、たとえば第4話はパティシエの松井萌絵（吉谷彩子）、第6話は見習いの芹田公一（寛一郎）、第9話はソムリエの久住栞奈（中村アン）といった感じで、主人公の周りの人物をメインとして描いていて、観客や視聴者が感情移入するのは、各話のメインとなる人物です。その人物が主人公である尾花に振り回されたり、助けられたり助けたりすることで、主人公の姿をくっきりと浮かび上がらせ、際立たせているのです。

中でも最も観客や視聴者が感情移入するように描かれているのが倫子です。

▼最終話の倫子の「葛藤」

というわけで、最終話も倫子が「葛藤」します。

ミシュランの審査が近づき、新しいコースメニューが次々と決まっていく中、フレンチにとって禁断の食材であるマグロの魚料理に取り組む尾花は、平古にスーシェフを任せ、自分はマグロに集中すると言い出します。

倫子は「間に合わなかったら、どうすんの?」と心配しますが、「そんな心配だったら、あんたが自分で魚料理作りゃいいだろ」「シェフなんだから」と尾花に言われ、「わかった、やる。マグロ料理に代わる魚料理を完成させてみせる」と魚料理に取り組み始めます。

そして、ハタのロティを完成させます。

試食をすると店のメンバーは大絶賛してくれますが、尾花だけは黙ってフォークを置きます。倫子は思わず「ダメか」と呟いてしまいます。尾花に「その魚料理で三つ星取れると思う?」と尋ねられ、倫子は答えられません。もう一度「そのハタの料理で三つ星取れると思う?」と訊く尾花に、「わかんない」と答えてしまいます。

尾花は「そのハタの料理じゃ三つ星は無理だ。一つ星の審査と二つ星の審査の時には、その料理で構わない。でも、三つ星の審査の時にはマグロでいく。それまでには必ず完成させる」と言います。

一つ星、二つ星の審査をクリア、三つ星の審査の前夜、尾花はマグロ料理を完成させます。試食した倫子が「どう？　俺のマグロ料理、完璧じゃない？」と尾花に訊かれ、「うん、美味しい」と答えて、三つ星の審査には尾花のマグロ料理を出すことに決まります。

審査当日、冷蔵庫のハタを見ていた倫子は、尾花に「ねえ、尾花さん、魚料理なんだけど」と話しかけますが、食材が届かないトラブルが発生、話しそびれてしまいます。

コースが進み、いよいよ魚料理という時に、倫子は「ごめん、やっぱりマグロやめよう」「マグロをやめて私のハタを出す」と言い出します。尾花に「ランブロワジーのテストの時、俺の手長海老のエチュベじゃなくて、自分の自慢料理作って落ちたよな」と言われますが、「あれから、この店をやって私も変わってる」「私の料理で勝負する」と言い切ります。「あの約束なしな。三つ星を取れなくても俺には関係ない。俺はもう、この店の人間じゃない。好きにしろ」と尾花は厨房を出ていきますが、倫子は「祥平、ハタのソース用意して」と、そのまま料理を続けます。

倫子が**自分を信じる気持ちと信じられない気持ちの間で揺れ動いています**。「葛藤」を描くって具体的に何を、どうすればいいのか、ぜひ参考にしてみてください。ただし、みなさん

は、くれぐれも主人公に観客や視聴者を感情移入させるよう、あくまでも**主人公の「葛藤」を**
プラスしてください。

※『グランメゾン東京』２０１９年10月期のＴＢＳ系日曜劇場　脚本：黒岩勉　キャスト：木村拓哉、鈴木京香、玉森裕太、及川光博、沢村一樹ほか

『テセウスの船』

「父は無実です。真犯人は別にいます」

主人公・田村心（竹内涼真）が、30年前の宮城県音臼村にタイムスリップし、音臼小無差別殺人事件を起こさせないよう奔走するのが、『テセウスの船』第1話から第3話です。

▼父を救おうと奔走する主人公

音臼小事件は、青酸カリ入りオレンジジュースを飲んだ21人が死亡、心の父親である佐野文吾（鈴木亮平）が逮捕されます。佐野は死刑が確定し30年後の現在も死刑囚として拘置所に収監されています。事件後に生まれた心は、タイムスリップして初めて佐野に会い、無実であることを確信するのです。

ところが第3話の最後で心は、音臼小事件30年後の現在に戻ってしまいます。佐野は変わらず死刑囚のまま、母親と兄が一家心中で亡くなっているという、より最悪な状況に過去が変わっています。

そして第4話、心は音臼小事件被害者の集いの存在を知ります。音臼村は廃村になっており、当時の住人の行方もわかりません。この集いなら佐野の無実を証明するような証拠や証言が得られるかもしれません。

しかし、その集いに参加する事件の被害者や遺族は、佐野の死刑執行を強く求めています。「この会に乗りこむのは、さすがになあ……」と逡巡しますが、週刊誌記者の岸田由紀（上野樹里）に被害者の集いのことを教えてほしいと頼みます。

ちなみに由紀は、タイムスリップ前は心の妻でした。娘を出産した時に妊娠中毒症で亡くなっています。タイムスリップ後は過去が変わって心とは出会っておらず、音臼小事件を追う週刊誌記者になっています。

心は「父は無実です。真犯人は別にいます」「もしかしたら事件当時、真相を知ってても何か事情があって言えなかった人がいるかもしれない」と訴えます。由紀から「被害者の皆さんは佐野死刑囚を憎んでるんです。それなのに佐野を無罪にする証拠をくれるなんて何されるかわかりませんよ」と警告されても、「覚悟の上です」と答えます。

由紀に集いの日時と場所を教えてもらいますが、「参加者の高齢化が進んでいて今年で最後という話になっているそうです。たぶん今回がラストチャンスです」と言われます。

当日、会場の扉の前で立ち尽くしていると、「さすがに怖いですよね」と由紀が現れます。心が決意を固め扉を開けようとした時、壇上で木村さつき（麻生祐未）が話し始めます。

さつきは、心の姉・村田藍（貫地谷しほり）の夫の義母です。藍は名前も変え顔も整形して、佐野の娘だと知られないよう暮らしています。もし、ここで心が佐野の息子だとわかると、姉である藍も佐野の娘であることが夫やさつきに知られてしまいます。

心は「姉の幸せをぶち壊すのは俺にはできない」と諦めようとしますが、藍に電話すると「行って、心」「お父さんの無実が晴らされれば心も私もお父さんも、また笑って暮らせるようになる」と言われます。

再び扉を開けようとして、手が止まり、目をつぶります。扉の取っ手から手を離すと「やめます」「姉がもがいて苦しんで、やっと手に入れた居場所を俺に奪う資格はないです。姉が傷ついて一番悲しむのは父ですから」と言います。

▼解決するほうへ進んだらつまらない

ストーリーを進めよう進めようとしていませんか？

たとえば、太郎は花子と出会い一目惚れします。太郎は花子に告白して花子とつきあい始めます。２人はラブラブで、ついに太郎は「結婚してください」とプロポーズ。花子が「ありがとうございます」と喜んで受け入れてくれて、太郎は花子の家族に挨拶に行きます。花子の父親が「君みたいな息子ができて嬉しいよ」と言ってくれて、いよいよ結婚式。たくさんの知人や友人に祝福されて幸せな２人でした……では誰も観てくれません。

２人が結婚するほうへ、結婚するほうへ進んでいるからです。戦って勝つ話なら、勝つほうへ、勝つほうへ進んだら、面白くなりません。**事件を解決する話だとしたら、解決するほうへ、解決するほうへ進んだら、つまらなくなってしまう**のです。

『テセウスの船』は、主人公が家族の笑顔を取り戻そうとする話です。父親の逮捕後に生まれた主人公は、殺人犯の家族としての笑顔をなくした母や兄姉の姿しか知りませんでした。タイムスリップして初めて、事件前は笑顔の絶えない家族だったことを知るのです。

そのために最初のタイムスリップでは、事件が起こらないようにすることが主人公の目的です。現代に戻ってくると、父親の冤罪を晴らすという目的に変わります。2度目のタイムスリップでは、現代で明らかになった真犯人に事件を起こせないようにし、共犯者を突きとめることが目的になります。さらに、それぞれの目的のために、より小さなクリアすべき目的があり、それに向かって行動していきます。

家族の笑顔を取り戻すために、現代に戻ってくると父親の冤罪を晴らそうとし、そのために第4話では無実の証拠や証言を得ようと、音臼小事件被害者の集いに乗りこもうとするのです。

その時、被害者の集いに乗りこむように乗りこむように進んだら面白くなくなってしまいます。被害者の集いの扉前のシーンのように、**乗りこむのか、乗りこまないのか、どっちだ？　どっちだ？**　と思わせるように描くと、観客や視聴者はグイグイ引きこまれ、面白いと感じてくれるのです。また、主人公が結局、被害者の集いに乗りこむのを一度諦めるのもポイントです。たとえば太郎が花子にキスしようとして、できなくて、どっちだ？　どっちだ？　と引きこんでおいて、結局、キスできなくて、な〜んだ、キスしないのかあ、と思わせて、いきなり花子がキスする、みたいな感じです。

第4話でも、心が集いに乗りこむのを諦め、あ〜もう集いが終わってしまうと思った時、由紀が会場に乗りこみ壇上に上がって、罵声を浴びせられ、水をかけられながらも、佐野の無実の情報提供を呼びかけます。それにより新たな証言をしてくれる人が現れるのです。

▼引き込まれるシーンかどうか

第5話では、新たな証言をすると言っていた松尾紀子（芦名星）が、娘に反対され一度は証言を断りますが、佐野に接見し、証言できないと謝った時に、「あなたはもう十分に苦しんだお顔をされてる。これからは自分を大切にして幸せになってください。わざわざきてくれて、ありがとう」と佐野に言われ、再び証言しようと決意します。

一方、さつきは紀子の住所を調べて、藍に「紀子さんの家には、あなた1人で行って。私が行くと警戒されるから。それで自分が佐野文吾の娘だって名乗って、変な証言なんかしないように言いなさい。今さら必要ないって。それでも、もし迷っている様子があるなら私の得意な芋羊羹、ぜひ紀子さんに召し上がってもらって」と紙袋を渡します。「何が入っているんですか？　これ」と尋ねる藍に、「レシピは内緒よ。今日のはスペシャルなの」と答え、さらに「証言されると何かまずいことでもあるんですか？」と尋ねられると、藍が佐野の娘で顔も名前も変えて別人になりすましていることをバラしてもいいかと脅します。と、藍のスマホに心から「松尾さんが証言してくれることになった！　これから自宅に伺います」と連絡が来ます。さつきは舌打ちして「急がないと」と車を走らせます。心は由紀に松尾が証言してくれると電話しながら走ります。

さつきの車が赤信号で止まると、さつきは「なに邪魔してんだよ、クソ信号！」と。走る心と車を走らせるさつきのカットバックがあり、紀子の家のチャイムが鳴ります。紀子が玄関のドアを開けると……。

紀子の家に先に着くのは、どっちだ？　どっちだ？　と引きこまれます。

すでに、お気づきかもしれませんが、第４話の被害者の集いの扉前のシーンも、第５話の心や藍とさつきが紀子の家に向かうシーンも、**ストーリーとしては必要ありません**。心が被害者の集いで情報提供を訴えればいいし、紀子は結局、さつきの芋羊羹で毒殺されるので。よく「このシーンは必要ない」みたいなことを言う人がいますが、それは意味がないことがわかります。必要か必要じゃないかではなく、引きこまれるかどうかなのです。ぜひ、どっちだ？どっちだ？　のシーンで観客や視聴者をグイグイ引きこんでください。

※『テセウスの船』２０２０年１月期のＴＢＳ系のドラマ　原作：東元俊哉　脚本：高橋麻紀
キャスト：竹内涼真、榮倉奈々、上野樹里、鈴木亮平、安藤政信、貫地谷しほりほか

創作のお悩み相談5

Q「このシーンって必要？」と悩みます。

A そのシーンで、登場人物の気持ちが動いているかがポイントです。葛藤していればなおいいですね。

気持ちが動いていれば残しますし、動いていなければボツです。
逆に言うと、このシーンはどうしても残したいという場合、
登場人物（特に主人公）を困らせて、気持ちの動きを作って描いてください。

『大豆田とわ子と三人の元夫』

「清少納言とステーションワゴンぐらい違う」

主人公の大豆田とわ子（松たか子）が、一番目の夫・田中八作（松田龍平）や二番目の夫・佐藤鹿太郎（角田晃広）、三番目の夫・中村慎森（岡田将生）に振り回されるコメディータッチの『大豆田とわ子と三人の元夫』には、**今まで映画やドラマで観たことがないディテールが**ふんだんに描かれています。

▼今まで描かれなかったシーン

たとえば、ラジオ体操の体を左右にひねる動きで、周りは左にひねっているのに自分だけ右だったり、体を回す動きで周りは右回りなのに自分だけ左回りだったり。とわ子のように、いつもではなくても誰にも経験があると思います。キッチンの頭上の棚を開けたらパスタが降ってきたり。パスタではないけどプラスチック容器などが落ちてきたことはあると思います。これって、あるあるです。

とわ子が中村の飲むコーヒーに塩を入れ、それを自分で飲んでしまうシーンがあります。これは、あるあるではなく、実際にやったことがある人は稀でしょう。

どちらにしても今まで映画やドラマで描かれたことはなかったように思います。

第2話、とわ子は新しいソファーを買います。娘の唄（豊嶋花）や親友の綿来かごめ（市川実日子）と今まで使っていたソファーを粗大ゴミとして出そうとしますが、ソファーの脚が引っかかってエレベーターに乗りません。ノコギリで脚を切ってしまいます。

ソファーを粗大ゴミ置き場に持っていくと、うさぎの玩具が捨ててあります。唄が拾うと、うさぎの耳が動き「♪くまの子見ている隠れんぼ～」と「にんげんって、いいな」の唄が流れ始めます。

中村が、とわ子の部屋に来てソファーが新しくなっていることに気づきます。外に出ると、今まで使っていたソファーが脚を切られ、粗大ゴミとして出されています。そのソファーは、中村ととわ子が付き合うきっかけとなった思い出のソファーだったのです。

戻ってきた中村は「それ、腰痛くならないかな」「柔らかすぎるソファーって腰痛くなるでしょ」「これだと洗濯物置きっ放しにしにくいでしょ」「そもそも洗濯物置けないソファーってソファーとは言えないでしょ」と文句をつけ、「俺、面倒臭い？」「何で怒ってるの？」と言ったり、とわ子が「何で離婚した夫が離婚した妻に」と言いかけると、「いちいち離婚したって言う必要あるかな？　お寿司食べてる時に、いちいち死んだマグロ美味しい、死んだエビ美味しいねって言う？　言うかな？」と屁理屈をこねます。そして、呆れたとわ子に、「怒ってもないし、面倒くさくもないよ。だって、もう他人だもん。関係ないもん」と言われると、「うん、他人だね、関係ないね。清少納言とステーションワゴンぐらい関係ない」と答えます。

さらに中村が「僕と君は話し合って離婚したわけじゃないよね」「紙は出したけど、さよならは言ってない」と迫ってきて、後退りしたとわ子が置いてあったうさぎの玩具を落としてしまいます。うさぎは耳を動かし「にんげんって、いいな」が流れます。中村に「つまりまだ過去じゃない」と迫られながら、とわ子はうさぎを止めようとします。

さらにさらに、上の階で激しい物音がし、女性の悲鳴が聞こえてきて、とわ子は様子を見にいこうとします。そのとき身を守る武器としてノコギリを持っていきます。ソファーの脚を切ったノコギリが置きっぱなしになっていたのです。上の階に行くとマンションの住人たちも出てきていて、「息子さん、大事なうさぎちゃんを捨てられたとか言って、暴れたらしいの」と噂しています。そして、ノコギリ女がマンションに侵入したとの通報が入り、とわ子はパトカーで連行されていきます。

▼あるあるのセリフとユニークな小道具

まずはセリフです。「死んだマグロ」のセリフもキャラクターならではですが、何と言っても「清少納言とステーションワゴン」のセリフのインパクトは圧倒的です。よく、こんなセリフ書けるなと思ってしまいますが、これは実は、あるあるです。みなさん、**似たような聞き間**

違いや言い間違いをしたことがあるんじゃないでしょうか。ただ、その時は面白がったりしても、その後も覚えている人はほとんどいません。これって使えるかもと、その時に思っただけだと忘れてしまいます。ぜひぜひ、**ミソ帳に書いておく癖**をつけてみてください。不思議なもので書いておくと忘れないのです。つまり結果的に後で見直したりはしません。じゃあ書いておく必要がないような気もするんですが、**書いておかないと忘れてしまう**のです。

もうひとつ、ユニークなのがノコギリとうさぎの玩具という小道具の使い方です。実際には、たとえばノコギリ女で通報されるアイデアが先で、じゃあノコギリをどこで出すかと考えたのかもしれませんが、ソファーの脚をノコギリで切るシーンを思いついたら、このノコギリ、もっと使えないかなと考えてみてください。

その時、すでに考えてあるストーリーに当て嵌めようとすると使い方が浮かびにくくなります。**小道具の使い方を考えることで、あらかじめ考えていたストーリーを変えていこうとする**のがコツです。

今まで映画やドラマで観たことがないストーリーを考えるのは至難の業です。でも、**今まで観たことがないディテールなら何とか考えることができるはず**です。

今まで観たことがなければないほど、この先どうなるかが予想しにくくなり、どうする？どうなる？と観客や視聴者を引きこむことができます。また、今まで観たことがないシーンが描かれると、観客や視聴者は、この先また今まで観たことがないシーンがあるかもしれない、どんなシーンが描かれるのだろうと期待して釘づけになります。つまり今まで観たことがないディテールを描けば描くほど、面白いシナリオにできるのです。

▼主人公が死んだ?と思わせるディテール

第5話の終わりに、とわ子は連絡が取れなくなり、第6話の終わり近くまで出てきません。主人公が30分以上も登場してこないのは、連ドラでは極めて異例でしょう。

一体どうしたんだろうと観ていると、深夜の店でゴミ出ししようとしていた田中のスマホからメッセージ受信音がします。田中がスマホを見て動揺してカウンターの椅子を倒してしまいます。電話をかけますが、「ただいま電話に出ることができません」という音声が返ってきます。

田中が自転車で走り出します。コンビニでホッチキスとストローを買います。その間「ただいま電話に出ることができません。しばらく経ってから、おかけ直し下さい」の音声が繰り返されます。

自転車を走らせてきた田中が着いたのは救急病院です。廊下を歩いていくと自動販売機の前に唄が立っています。「あったかいお茶をさ、買いたいんだけど」と言われ、田中が自販機を見ます。ボタンだけ押すと、すでにお金は入れられていたらしくペットボトルが出てきます。それを唄に持たせると唄の手が小刻みに震えています。田中は唄を抱きしめます。

廊下を進むと、医師が看護師に「午前1時17分、死亡確認。直接死因は心筋梗塞」と伝える声が聞こえてきます。

さらに廊下を進むと、とわ子がベンチに座っています。

とわ子が「すぐわかった?」と尋ね、「早かったね」と言うと、「自転車で来た」と言いながら、田中が買ってきたストローを渡します。それを見て、とわ子は「百本入り。ま、そうなるか」と言い、ホチキスを渡されて「あ、これこれ、ありがとう」「紐がさ、抜けちゃったって、言ってたからさ」と、パーカーのフードの紐をストローとホチキスを使って通し始めます。

第5話に、かごめが田中と歩いていてパーカーのフードの紐を抜いてしまい、とわ子に「片っぽ抜けちゃったパーカーの紐って、どうやって戻したらいいんだろう?」と尋ね、「それは1回抜いて……夜やったげる」と、とわ子が答えるシーンがあるのです。

※『大豆田とわ子と三人の元夫』2021年4月期のフジテレビ系火曜9時枠ドラマ　脚本:坂元裕二　キャスト:松たか子、松田龍平、市川実日子、角田晃広、岡田将生ほか

『監察医　朝顔』

「朝ごはんの時に夕飯の話しないでくれる」

法医である万木朝顔（上野樹里）が主人公の『監察医・朝顔』は、基本的には1話完結で事件を解決する連続ドラマです。そこに朝顔の家族を描いていくホームドラマが組み合わされています。

たとえば第1シリーズの第2話の冒頭では、朝顔の父親で野毛山署の刑事でもある万木平（時任三郎）と朝顔の朝ごはんのシーンが描かれます。納豆ご飯に味噌汁、目玉焼き（万木家の定番の焼き方はターンオーバー）、きんぴらといったメニュー。「いただきます」と食べ始めて、すぐ万木が「夕飯、何がいい?」「今日の夕飯、俺の当番だろ?」と言い出します。

朝顔が「朝ごはんの時に夕飯の話しないでくれる」「いま食べてるものに集中したいし食べにくいよ」と答えると、「いま聞かないと聞くタイミングがないからだよ」と返されます。「食べ終わってからでもいいしメールでもいいし」と言うと、「まあ、そうだな。ごめん」と謝られ、「まあ、でもカレーかな」と言ってしまいます。

「ああ、いいねえ、カレー。こないだテレビでチョコレート入れたらコクが出るとか言ってたから、やってみようかな」とか、「カレーぐらい、ちゃんと作れたほうがいい」「結婚したら旦那に作ってあげたりするだろ？」とか、カレーの話が弾み、「とにかく今日はカレーにしよう」と言う万木に、「ただ、朝ごはんの時にさ、夕飯の話しないでよね」と朝顔が言います。「うん、わかった」と返事が返ってきて、すぐに「で、何カレーがいい？」と聞かれます。「だから！」と言うと、万木は「あ！」となって、２人で笑います。

おそらく誰もが身に覚えのありそうなやりとりではないかと思います。また、万木の先のことを計画しておきたい几帳面な性格も伝わってきます。

▼冷蔵庫の貼り紙という小道具

ホームドラマとしては、朝顔の母親・万木里子（石田ひかり）が東日本大震災に被災し今も行方不明になったままであるという設定になっています。

第１シリーズの第５話に、こんなシーンがあります。万木が麦茶のポットを戻そうとして冷蔵庫に貼ってある紙を見つめます。貼り紙はチラシの裏に「お父さんに食べてほしいものリスト　食パン３／12まで　たまご３／12まで　牛乳３／11まで」などと書いてあります。

それは東日本大震災に被災する日の朝、故郷に帰省しようとする里子が書いて貼っていったものです。８年以上、ずっと貼ったままになっているわけです。

その貼り紙に向かって万木は、「朝顔が結婚する。俺たちの孫も生まれる。嬉しいねえ」と語りかけ、溢れてくる涙を堪えます。

東日本大震災で家族が行方不明になったり亡くしたりしていない人でも、冷蔵庫の貼り紙という小道具によって、この家族のドラマを身近に感じることができます。また、里子に降りかかった出来事が、非日常で起こったことではなく、ありふれた何気ない日常で、いきなり襲ってきたことを感じさせられます。

▼かけがえのない日常を実感させる

第1シーズン第8話では、朝まで家族と普通に過ごしていた女性が急死し、解剖しても外傷も病変もなく死因がわかりません。再解剖することになりますが、結局、死因ははっきりせず不詳の死となります。

その流れに、平が朝顔の娘・つぐみ（加藤柚凪）と外出するシーンがカットバックで組み合わされます。海沿いの公園で「じいじ、早く」と走ってきたつぐみが、「カメモいない」と言います。平は「カメモ？　ああ、カモメな」と笑いますが、つぐみは「カ、メ、モ」と譲りません。「熱いなあ」と言う平に、つぐみがタオルを渡してくれます。「ありがとう。優しいね、つぐみ」と笑顔になります。犬が来て「わんちゃん、かわいいねえ」と2人で撫でます。かき氷を「美味しい？」「うん」と食べたり、眠ってしまったつぐみを平が抱っこして歩いたり。

その夜、万木家に朝顔が勤める研究室の教授・夏目茶子（山口智子）や同僚、朝顔の幼馴染の家族が集まり、賑やかに過ごします。

朝顔たちが花火を見て騒いでいる時、平は茶子に「今日、孫とデートをしてきました」「2人で手を繋いで公園を歩いて、かき氷食べて」「幸せすぎて里子に申し訳ないです。本当なら、あいつも、この幸せを味わえるはずだったのにと思うと」と静かに語ります。

何ということのない日常のかけがえのなさを実感させてくれます。

さらに翌日、花火を見て一緒に騒いでいた朝顔の幼馴染の妻が急死、遺体となって解剖室に運ばれてきて、いま生きていることと死が実は隣り合わせであり、かけがえのない日常が、あっけなく失われてしまうことが伝わってきます。

▼嘘を本当らしく描くのがシナリオ

シナリオはフィクションです。つまり嘘です。**嘘を、いかに本当らしく描くかがリアリティーです。**よくリアリティーを実際にあることと勘違いしている人がいますが、実際にあることを、そのまま描いても、なかなか面白くはなりません。**実際にはないことを、ありそうに描く**わけです。

犯罪や事故などで死に至った人や、その家族をドラマとして描くと、それは、あくまでフィクションです。もちろん、それをフィクションとして楽しんでもらったり、感動してもらうのもありです。それに対して『監察医・朝顔』は、亡くなった人や遺族のドラマをフィクションとしてではなく、**観ている人にとって、より身近に、まるで自分や自分の家族のことのように感じさせる工夫**がされています。

そのひとつが**食事のシーン**です。たとえば第2シリーズ第3話は、完全にミイラ化した遺体の死因や身元を解明していきますが、朝顔とつぐみが遠足で潮干狩りに行くシーンがあります。つぐみが「ママもシオガリガリしよう」と手招きすると、「やろう、やろう。どこ掘る？」と朝顔も潮干狩りを始めます。その日の晩ごはんは、あさりの炊き込みご飯、あさりの味噌汁、あさりの酒蒸しなど。朝顔の夫の桑原真也（風間俊介）に、朝顔が「しばらく貝づくしになると思うけど」と言い、翌々日はボンゴレパスタです。

第2シーズン第6話は、女性が頭部を撃たれ死亡し、その銃弾が桑原の発砲したものではないかと疑われます。心配で何も手につかない朝顔は、つぐみに「ママ、お腹すいた」と言われ、「じゃあ、出前とろうか。ピザとか」と答えますが、「お昼、ピザパン食べた」と返されてしまい、「どうしようか」と困ってしまいます。と、呼び鈴が鳴り、桑原の姉・忍（ともさかりえ）がスーパーの袋を持って訪ねてきます。

忍はハンバーグを作ります。「ハンバーグ、ハンバーグ」とはしゃぐつぐみに、「つぐみちゃんも一緒にやる？」と言い、「やる！」と答えると、「じゃあ、つぐみちゃん用にちっちゃいの作ってよ」と、ハンバーグの捏ね方を教えたりします。朝顔は「じゃあ私、ポテトサラダ作ろうかな」と冷蔵庫を開きます。

忍とつぐみは「すごーい!」「美味しそう!」と声を上げながらハンバーグを焼き、3人で「いただきます」と声を揃えて食べ始めます。忍が「ちょっとさ、何が隠し味か当てて」と言うと、つぐみが「みかん」と答えます。忍は「うそ! なんでわかったの?」「すごーい。みかんのジャムが入ってんの」と驚き、朝顔も「へえ、みかんのジャムだって」と思わず笑顔になっていきます。

第2シーズン第8話では、朝顔が1人で夕食を食べるシーンがあります。平は妻を探すため警察を辞職し、東北に移住しています。桑原は発砲事件の責任を取らされ長野県警の交番勤務になり単身赴任、つぐみは保育園のお泊まり保育です。

朝顔は、いつものリビングのローテーブルではなくキッチンのテーブルに冷蔵庫から出したタッパーを置き、ご飯と味噌汁、タッパーに入ったかぼちゃの煮物ときんぴらを「いただきます」と食べ始めます。

これらの**食事のシーンはメインのストーリーとは直接、関係はありません。しかし、ドラマの受け取り方が大きく変わってくる**ことを、ぜひ実感してみてください。

※『監察医　朝顔』２０１９年７月期のフジテレビ系列ドラマ　原作：香川まさひと　漫画：木村直巳　脚本：根本ノンジ　キャスト：上野樹里、時任三郎、風間俊介、志田未来ほか

『しずかちゃんとパパ』「壁を乗り越えてはいけません」

野々村静（吉岡里帆）と聴覚障害を抱える父親・野々村純介（笑福亭鶴瓶）のホームドラマ『しずかちゃんとパパ』では、静が道永圭一（中島裕翔）と出会ってから結婚するまでが描かれます。いま、あア、聴覚障害かあ……と思われた方もいらっしゃるかもしれませんが、上っ面な優等生的ドラマとは一線を画す描き方に、おそらくドキッとさせられると思います。

▼静と道永の出会い方

第1話、静と道永はファミレスの店員と客として出会います。

数日後、キッチンカーでケバブサンドを売るトルコ人と揉めている道永を静が見かけます。静が「どうしました?」と声をかけると、トルコ人にまくし立てられます。「あー、おまけのトッピング頼みまくりました?」と道永に尋ねると、「頼んでません。購入後に支払いは現金だと気づき、返却を申し出たのですが、なぜかどんどん具沢山に」と言われます。ケバブサンドを差し出したのを、トッピング追加と勘違いされたとわかり、「この人、お金、忘れちゃった」「私が払うから。ＯＫ？」「あと、もう1つ私の分ね」と身振り手振りで、その場を収めます。

　静と道永は、公園で一緒にケバブサンドを食べます。静がファミレスであったことを話し、「怖いですよね、店員に顔覚えられてるとか」と言うと、道永に「怖い？　いえ、まったく。素晴らしい特技です。トルコ語も」と言われ、「トルコ語？　あ、いえいえ、できないです、全然。さっきのは言葉がわかったわけじゃなくて、空気っていうか」「だから間違ってるかも」と答えます。

　静はファミレスを辞めたと話し、「嫌われちゃうんですよね、私、どこ行っても。特に同年代の女子に」「嫌われちゃったから辞めたんです。がさつっていうか、無神経って言うか、距離感とかよくわかんなくってグイグイ行っちゃうっていうか。わかってるんです、私、いまウザいなあとか、何か媚び売ってる感じになっちゃってるとか。でも自分をコントロールできないっていうか、それって性格悪いってことですよねえ」と打ち明けます。

　道永は「僕は、そう思いません」「さっき助けてくれたのも、あなたのそのグイグイ行っちゃうという性格に基づく行為ですよね。何故あなたが、ある一定の他人に嫌われてしまうのか、そもそも本当に嫌われてるのか、それを解明するには、さらに検証が必要ですが、少なくとも僕は助けられました」「あなたの性格に」と答えます。

　道永のワイシャツにケバブサンドのソースが飛んでいることに気づいた静は、「すぐ洗ったほうがいいですよ」と静の家に連れて行きます。そこで道永は、手話で会話する静と野々村を見て、野々村が聴覚障害であることを知ります。

その時、あろうことか道永は野々村の目の前で静に「あなたが嫌われてしまうのは聞こえないお父さんと暮らしてきたからでは」と聴覚障害者の家族に言ってはいけないことを、思ったままに口に出してしまうのです。

もちろん静は怒ります。「ちょっと、やめてください!」「耳が聞こえなくたって口の動きか表情でわかるんですよ!」と道永を追い出します。

野々村に手話で「おまえが嫌われてるって言ったか? 聞こえないお父さんって」と訊かれ静は、「嫌われてないから。知ってるでしょ、パパ。むしろ私、人気もんじゃん、みんな、静ちゃん、静ちゃんって。嫌われてたとしてもパパのせいじゃないよ」と答えますが、野々村の目には涙が浮かんでいます。

▼あえて「ひどい」ことを言わせたり

静のトルコ語がわからないのに会話ができてしまうシーンもそうですが、特に道永が野々村のいる前で、静が嫌われているのは野々村の聴覚障害のせいだと言わんばかりのセリフを言うシーンは、**今まで映画やドラマで描かれたことがない**でしょう。

第2話で道永は「わかりすぎてしまうからでは、と思ったんです」「あなたが言ってたグイグイ行っちゃうとか、自分をコントロールできないとか。相手の気持ちがわかりすぎてしまうから、そこに手を差し伸べずにはいられなくなってしまうのでは、と。聞こえないお父さんと暮らしていると表現が大きくストレートになるのではないかと推測しました。もしかしたらそれが、ウザいとか媚びていると思われてしまうこともあるのかもしれない。でも、それは、あなたの問題というより受け手の問題ではないかと」と真意を説明しますが、たとえ、そう思ったとしても、ほとんど多くの人は野々村がいる前では言わないし、言い方にも気を使うでしょう。

ほかの多くの人はやらないけど、この人物のキャラクターならやりそうな行動やリアクションを描いたり、ほかの多くの人は言わないけど、この人物のキャラクターなら言いそうなセリフを描くと、今まで映画やドラマで描かれたことがないシーンを生み出しやすくなります。

今まで映画やドラマで**描かれたことがないギクッとするシーン**があると、観客や視聴者は、この先どうするのか、どうなるのか、予測がつきにくくなります。

この先どうする？　どうなる？　と思わせれば思わせるほど観客や視聴者は、より引きこまれるので、この先の予測がつきにくくなればなるほど引きこむ力は強くなり、引きこまれれば引きこまれるほど面白いと感じてくれるわけです。

第2話の小学生の静が音楽会で、卒業アルバムのカメラマンとして写真を撮っている野々村に向かって、大きな口を開け身振り手振りの手話を交えて歌うシーンも、それに対して野々村が背を向けてしまうシーンも、この先どうなる？　と思わず引きこまれます。

また、第3話で「悔しい。乗り越えられない壁ってあるんだなあって」と話す静に、道永が「壁は乗り越えてはいけません」「必要だから、そこにあるんです。道を歩いていて壁に突き当たった時、乗り越えようとしている人を僕は見たことありません」「乗り越えるのは、おそらく泥棒と忍者ぐらいです」と言うセリフも、この先、道永がどんなことをしでかしたり、言ったりするんだろうと楽しみになり、道永から目が離せなくなります。

▼道永の母が訪ねてくる第7話

第7話、道永の母親が野々村写真館を訪ねます。道永の母親だと名乗れないまま、町内の人と一緒に映る道永の写真を見たり、野々村に写真を撮ってもらったりします。アパートの道永の部屋で、手話の本や道永が野々村のために書いたスケッチブックを見たり、静のお弁当箱に添えられた道永のメッセージで、自分以外の人の手料理を道永が食べられるようになったことを知ります。

再び野々村写真館に戻り、野々村にスケッチブックを見せます。そこには「私、道永圭一の母です」と書かれています。めくると「お嬢様とお付き合いさせていただいているそうで」とあり、さらにめくると「反対する理由を探しに来ました」と書かれています。

そして「でも困りました」「何も、見つからなくて」と続きます。

これに対して野々村は、手書きのボードに「準備してました」と書きます。「いつか静の恋人の親来る」「遺伝しないか聞かれる」と書いて耳を指さし、「しないと言い切れないから」と続けます。「死んだ妻も聞こえない」と書き、「妻」の後に「の両親」と書き加えます。

そして「もしかしたら静の子」と書きかけた野々村の手を、道永の母親が押さえて止めます。野々村が顔を上げると、道永の母親が手書きボードに「心強いです」と書き、「私たちには、あなたがいるので。その時は教えてください。私たちに、その子に」と話し、ボードに「どうしたら、その子が、あなたみたいに楽しく生きられるのか」と書いて見せます。「だって、あなたと静さん、とっても楽しそう」と言いながら、アパートの道永の部屋にあった手話の本で見たばかりの「楽しい」の手話をします。

さらに母親は、町内の人と道永が一緒に映る写真のところへ行き、「この写真の圭一も」「ほら、こんなに笑って。ほら、口のこととか、目も」と言います。写真の道永は笑っているようには見えません。でも母親は「私にはわかるんです、親だから」と話します。

はっきりとは描かれていませんが、おそらく道永は発達障害を抱えています。その道永を育ててきたからこそ母親は、もし聴覚障害が静の子に遺伝したとしても、野々村がいれば大丈夫なのだと言えるのでしょう。

そこに道永を育てるのが、どんなに大変だったか、どんなに悩み、葛藤し、希望を持ったり、どうしていいかわからなくなったりしてきたかが想像されます。どんな経験を野々村がしてきたかを母親は想像し、安易ではない敬意を抱いていることを感じさせます。

決して派手ではありませんが、聴覚障害の親と発達障害の子の親の、ほんの一瞬たりとも目が離せないシーンになっています。ぜひ、参考にしてみてください。

※『しずかちゃんとパパ』2022年3月期のNHKBSプレミアムドラマ　脚本：蛭田直美
キャスト：吉岡里帆、中島裕翔、笑福亭鶴瓶、稲葉友ほか

『イチケイのカラス』
「正しいこと、それは面倒臭いの同義語」

刑事裁判官を描く『イチケイのカラス』は型破りなクセモノ・入間みちお（竹野内豊）と堅物エリート・坂間千鶴（黒木華）が主人公です。

▼型破りでクセモノなふたり

第1話の千鶴の登場シーン。東京地裁第3支部・第1刑事部（通称イチケイ）の書記官たちが「今日からイチケイに来る人、ザ裁判官って感じらしいですよ」「確か女性でしょ」「これぞ世間のイメージ通りの面倒臭い堅物だって」などと噂していると、「私は周囲にそう思われている、そのことは理解しています。正しいこと、それは面倒臭いの同義語。正しいことを言って面倒くさがられている、つまり私には避けられない問題だと受け止めています」と千鶴が現れます。

そして、中学生の法廷見学の後の質疑応答を頼まれます。法服を着るよう言われると、「公判ではないので法服は着ません」と断ります。入間の趣味であるふるさと納税の返礼品が飾っであるのを見て顔をしかめていると、部長の駒沢義男（小日向文世）が現れ、「坂間さんは凛としてますから法服が似合いそうですね」と言われ、「ええ、まあ、よく言われますが」と答え、さらに「坂間さんに憧れる未来の裁判官、いるかもしれませんね」と言われると、ちょっと顔をほころばせ、得意げに鼻を動かします。

次のシーンでは法服を着た千鶴が、中学生たちの質問に答えています。

傍聴席の中学生に混じって入間がいますが、千鶴は引率の教師だと勘違いします。「裁判官にとって大事なこと、話を聞いて聞いて聞きまくって、悩んで悩んで悩みまくって、一番いい答えを決めること。違うかな?」と言う入間を、鼻で笑います。「法壇のこちら側とそちら側には見えない壁があります。裁判官という仕事を本当の意味で理解してもらえないのは仕方がないことだと思います」と話すと、入間に「下々のものには一生、理解してもらわなくて結構、と言われてる気がした」と返され、ムキになって「では説明しましょう。裁判官という仕事は、地味で人の目に触れにくい。でも世の中の争いごとに的確な判断を下し、迅速に処理し続ける。裁判官の努力が日本の」と話している途中で、「そろそろ時間だ」とさえぎられてしまいます。

さらに入間に「もし罪を犯して裁かれる時に、みんな、この裁判官、どう?」と聞かれた中学生たちが全員うつむき、「嫌だって、みんな」と言われます。そんな入間を睨みつけ、付き添っていた書記官に振り向くと、書記官たちはサッと顔を背けます。

速足で靴音を立ててイチケイに戻ってきた千鶴は、「中学校に抗議します。引率の教師の言動は侮辱罪にも相当します」と声を荒げます。と、そこに入間の姿が。入間に飛びつき手首をとると、「えい！」と護身術で入間をねじ伏せ押さえつけ、「すぐに警察を！　不法侵入の現行犯です！」と叫びます。

▼「リトマス法」で描けるキャラの違い

「**リトマス法**」、覚えていますか？　中学の理科の実験でリトマス試験紙というのがありました。無色透明な液体にリトマス試験紙を浸すと青くなったり赤くなったりして、酸性かアルカリ性かがわかるというものです。基礎講座でお話ししているのは、同じように**人物に何かをぶつけ、その反応（リアクション）を描くことで伝えたいことを映像表現する方法**です。

たとえば、その人物のことを噂しています。噂は、どちらかというと悪口というかマイナスな内容です。そこへ、その人物がやって来ます。どうリアクションするのか、噂している人に詰め寄り「ふざけんなよ！」と胸ぐらをつかむのか、気まずそうに気づかれないようコソコソその場を離れていくのか、千鶴のようにクールに理屈っぽく反論するのかによって、**キャラクターの違いが描かれ、気持ちの動きも伝わります**。

みなさん、ああなって、こうなってと出来事ばかり描いていて、**意外とリアクションが描かれていないことが多い**のです。

たとえば駒沢に「法服が似合いそうですね」「坂間さんに憧れる未来の裁判官、いるかもしれませんね」と言われた後、それまで無表情だった千鶴の表情が初めてほころびます。文章表現たとえば小説では、駒沢の言葉の後に千鶴が法服を着ているところを描いて千鶴の感情の動きを想像させたりするのですが、読者が自分で文章を読み進めていく小説と違って、一方的に映像が流れてくる映像（シナリオ）は、もちろん想像させることもあるのですが、しっかりと感情を描写して伝えてあげたほうが感情移入しやすくなります。

当たり前ですが、感情が伝わってこなければ感情移入できません。感情が伝われば伝わるほど、観客や視聴者は感情移入しやすくなります。感情移入すればするほど面白いと感じてくれます。

一つ一つのト書きの後やセリフの後にリアクションを描けないか、ぜひ見直してください。

もうひとつ気をつけて欲しいのが「……」の無言セリフです。「……」ではキャラクターも感情も伝わりません。無口なキャラクターで、何をされても何を言われても「……」なら、ありかもしれませんが、それでも眉間にシワ寄せて黙っているのか、ニコニコして黙っているのかでは、キャラクターも感情も全然違ってきます。せっかくリアクションが描けるのに、**「……」で済ませてしまうのはもったいないです。ぜひキャラクターや感情が伝わるリアクションに変えてみてください。**

▼何をぶつけ、どうリアクションさせるか

このリトマス法、何をぶつけて、どうリアクションさせるかを考えることでシーンを面白くすることができます。

同じく第1話、合議制裁判の裁判長を務める入間が「職権を発動します。裁判所主導で捜査を行ないます。現場検証を行ないます」と言い出し、千鶴は唖然とします。「捜査？　現場検証？　あり得ません」「聞いたこともない、見たこともない」「あなたの言動に今、全国の法曹界に関わる人間、いや、その家族までもが、ありえないと声をあげています」とまくし立てます。

しかし、現場検証は行なわれ、さらに入間は「日を改めて、もう一度調べてみよう」と言って笑うのです。

千鶴は「ありえない、ありえない」と呟きながら、スーパーで大量の肉を買いこみます。ステーキや焼き肉を食べまくり、一度は布団に入りますが、起き出してきてパソコンで「傷害被告事件における2度目の現場検証について」という文書を打ち出します。同じ裁判官官舎に住む入間の部屋の呼び鈴を連打し、出てきた入間に「2度目の検証は必要ありません。これがその根拠です」と分厚い文書を手渡します。千鶴の**個性が際立つリアクション**が描かれていて、今まで観たことがないシーンになっているので引きこまれます。

第4話、17歳の被告の少年事件を合議制で扱うことになります。

入間が「裁判長は坂間さんがいいんじゃないかな」と言い出します。千鶴は何か裏があるんじゃないかと疑いますが、「あ、無理ならいいよ」と言われ、「誰が無理だと？　今まで私は、どんなことでも努力で突破してきたんです」と引き受けます。

しかし、被告は取調べ段階から完全黙秘を貫き、裁判でも一言も喋ろうとしません。

被告が育った児童養護施設へ行き、1年前に被告と同じ施設で育った少女が遊園地へ行き事故に遭って、ピアニストの夢を断たれたことがわかります。遊園地の社長は起訴されたものの、不慮の事故で無罪となっています。その遊園地の売上金を被告が強奪したのです。

第2回公判で被告は「クソだ、法律なんてクソだ」と初めて言葉を発します。

入間に「必要なんじゃないですか？　裁判所主導の捜査」と言われ、駒沢にも「私も必要だと思います」とうながされ、千鶴は仕方なく、ものすごく小さな声で「しょっけん（モゴモゴ）」と呟きます。周りが「え？」となり、改めて「職権を（モゴモゴ）」と言いますが、やはり聞こえません。入間に「裁判長、大きな声で」と言われ、「職権を発動します。裁判所主導で改めて捜査を行ないます」と声を張り上げます。

千鶴の**「葛藤」がリアクションでユーモラスに描かれています。**
※『イチケイのカラス』2021年4月期のフジテレビ系ドラマ　原作：浅見理都　原作：脚本：浜田秀哉　キャスト：竹野内豊、黒木華、新田真剣佑、山崎育三郎ほか

浅田直亮（あさだ・なおすけ）
1983年、早稲田大学第一文学部卒業、2007年、早稲田大学大学院国際情報通信研究科修士課程修了。1993年、フジテレビ系『八丁堀捕物ばなし』シリーズでシナリオ・ライターとしてデビュー。『八丁堀捕物ばなし』ではギャラクシー賞受賞。シナリオ・センター講師。入門講座からゼミ、コンクール対策講座など幅広く担当。シナリオ・センターが主宰するコンクール〈シナリオＳ１グランプリ〉では最終選考審査員を務めている。著作『増補版「懐かしドラマ」が教えてくれるシナリオの書き方』（共著）『シナリオ錬金術』『シナリオ　パラダイス』『シナリオ錬金術２』（以上言視舎）等。

装丁 ……………山田英春　イラスト………堂本どうも
編集協力 ………田中はるか　DTP制作………勝澤節子

＊本書は「月刊シナリオ教室」（シナリオ・センター刊）連載の「シナリオ番長」（2019年9月号〜2022年12月号）を再編集したものです。
シナリオ・センターの講座へのお問い合わせ・申し込みは下記まで
〒107-0061　東京都港区青山3-15-14
TEL　03-3407-6936　FAX　03-3407-6946
https://www.scenario.co.jp/　e-mail : scenario@scenario.co.jp

ちょいプラ！　シナリオ創作術
人気ドラマが教えてくれる「面白い！」のツボ

発行日❖2023年2月28日　初版第1刷

著者
浅田直亮
発行者
杉山尚次
発行所
株式会社言視舎
東京都千代田区富士見2-2-2 〒102-0071
電話03-3234-5997　FAX 03-3234-5957
https://www.s-pn.jp/
印刷・製本
モリモト印刷㈱

ISBN978-4-86565-244-4 C0074